D0180861

Gaby Köster gehört seit Jahren zu den bekanntesten und erfolgreichsten Gesichtern der deutschen Comedy-Szene. Aber auf dem Höhepunkt ihrer Karriere passiert das, womit keiner rechnet: Sie erleidet einen schweren Schlaganfall. Ihre bewegende Geschichte ist die einer Ausnahme-Künstlerin und einer starken Frau, die trotz ihres schweren Schicksals nicht aufgibt und ihre neue Chance im Leben nutzt. Ein Buch, das einen berührt, immer wieder zum Lachen bringt und gerade deshalb so viel Mut macht!

»Gaby schreibt wie sie spricht, bewegend und betörend.«
Kalle Pohl

Gaby Köster
1961 geboren und aufgewachsen in Köln-Nippes wurde Gaby Köster 1988 von Jürgen Becker entdeckt und spielte sich über unzählige Auftritte live, im Radio und TV in die erste Reihe der deutschen Kabarett-Szene. Für Erfolgsformate wie »7 Tage – 7 Köpfe« und »Ritas Welt« erhält sie alle bedeutenden Preise (u. a. Deutscher Comedy-Preis, Deutscher Fernsehpreis, Adolf-Grimme-Preis). 2007 startete ihr drittes und erfolgreichstes Solo-Programm »Wer Sahne will, muss Kühe schütteln!«. Im Januar 2008 erleidet Gaby Köster einen Schlaganfall, der sie zu einer dreijährigen Karrierepause zwingt.

Till Hoheneder
1965 geboren und seitdem wohnhaft in Hamm (Westf.) wurde Till Hoheneder kurz nach dem Abitur mit dem Comedy-Duo »Till & Obel« (1986–2000) deutschlandweit bekannt und sehr erfolgreich. Heute ist er einer der gefragtesten Comedy-Autoren Deutschlands. Till Hoheneder ist verheiratet und hat vier Kinder.

Weitere Informationen, auch zu E-Book-Ausgaben, finden Sie bei
www.fischerverlage.de

Gaby Köster

Ein Schnupfen hätte auch gereicht

Meine zweite Chance

mit Till Hoheneder

Fischer Taschenbuch Verlag

6. Auflage: April 2017

Veröffentlicht im Fischer Taschenbuch Verlag,
einem Unternehmen der S. Fischer Verlag GmbH,
Frankfurt am Main, Dezember 2012

Satz: Dörlemann Satz, Lemförde
Druck und Einband: CPI books GmbH, Leck
Printed in Germany
ISBN 978-3-596-18684-6

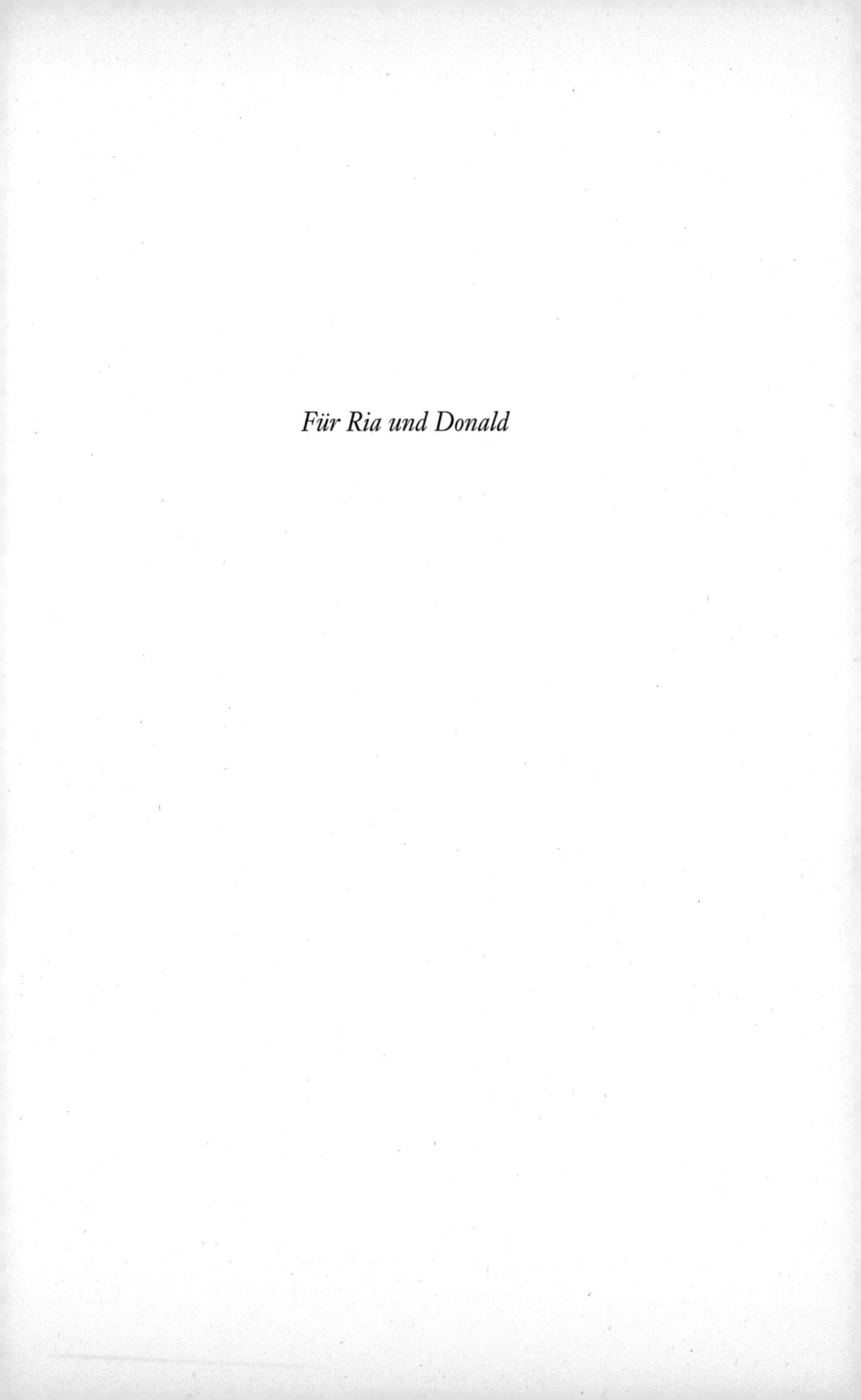

Für Ria und Donald

Vorwort zum Vorwort

So, liebe Menschen. Ihr habt also jetzt die Taschenbuchausgabe meines Buches in der Hand, und das ist auch der Grund, warum unsere Freunde im Verlag gebeten haben, das Vorwort zu aktualisieren. Weil doch so viel Zeit vergangen und so viel passiert ist. Kann ich verstehen, Ihr Schätze! Aber das Vorwort gefällt mir immer noch so gut, dass ich meinem Freund und Mitautor Till gesagt habe: »Das lassen wir einfach so, und ich schreibe einfach ein Vorwort zum Vorwort.« Till meinte nur, dass das ja wohl »kösterischer« wäre als alles andere, und stimmte begeistert zu.

Zuerst einmal muss ich sagen, wie sehr ich mich gefreut habe, mit der Veröffentlichung des Buches wieder in die Öffentlichkeit zurückzukehren. Überall bin ich wahnsinnig herzlich auf- und angenommen worden - das war Balsam für meine Seele! Dass ich natürlich furchtbar aufgeregt bei meinem Comeback im Fernsehen war, muss ich eigentlich nicht erwähnen. Ich hatte einen gefühlten Ruhepuls von 280! Dafür hatten auch alle Verständnis, netterweise! Ich habe vor Stern TV noch mit dem Moderator Steffen Hallaschka gesprochen und ihm gesagt, dass ich furchtbar aufgeregt sei: »Keine Ahnung, was passiert. Kann sein, dass ich heulen muss!« Er sagte nur: »Frau

Köster, keine Sorge, das ist überhaupt nicht schlimm, dann heule ich einfach mit.« Das fand ich aber mal super lieb!

Das war wirklich ein irrer Tag für mich, und jetzt kommt es, liebe Freunde des gepflegten Schrittes ... zum Mitschreiben: Ich habe alles zu Fuß geschafft, mit Hilfe meiner besten Freundin Michaela an meiner Seite! Vom Auto bis zur Garderobe, von der Garderobe hin zum TV-Studio und den ganzen Jakobsweg wieder zurück. Da war ich aber ganz schön stolz auf mich. Alle Menschen, die mir wichtig sind, waren übrigens dabei und haben mir seelische Unterstützung gegeben! Jonas und Töne, meine Manager. Meine lieben Freunde Hella, Conny und Kalle. Meine Mutter hat die Sendung zuhause vor dem Fernseher verfolgt, es war eben auch schon ziemlich spät am Tag und es wäre zu aufregend für sie gewesen, live dabei zu sein. Witzigerweise waren gerade zu der Zeit auch meine Freunde Anita und Peter aus Ibiza in Köln zu Besuch und saßen im Publikum ... Das hat mir auch sehr viel Kraft gegeben. Mein Sohn Donald wollte auch unbedingt mit dabei sein, wenn es wieder losging, und natürlich mein Freund und Co-Autor Till Hoheneder. Mein Gott, war das aufregend! Fakt war: Irgendwann spät in der Nacht bin ich zufrieden, glücklich, müde und dankbar ins Bett geplumpst!

Es ist für mich absolut unfassbar, dass während der Sendung 5000 E-Mails angekommen sind!

Aber immer schön langsam. Vorher will ich Euch noch erzählen, was sonst noch alles im Zuge der Buchveröffentlichung passiert ist. Ich hatte ja schon vorher geahnt, dass meine Rückkehr ins Arbeitsleben kein Spaziergang werden würde, schon gar nicht mit einem steifen linken Bein. Als ich mit Till und Gerd das Hörbuch eingesprochen hatte, war ich am Ende so platt wie ein Wiener Schnitzel vor dem Pfannengang. Wenn man über zwei Jahre an einem Buch arbeitet, um seine eigene Geschichte aufzuarbeiten, bleibt es eben leider nicht aus, dass man immer wieder mit seinem Schicksal konfrontiert wird. Positiv. Aber auch die gerade zart verheilten Wunden drohen unter solch massiver Beanspruchung erneut aufzureißen. Am letzten Aufnahmetag stolperte ich über eine dieser todtraurigen Stellen im Buch, und während ich in meiner kleinen Sprecherkabine saß und las, merkte ich, wie eine warme Welle der Trauer über mich hinwegrollte, meine Stimme versagte und Tränen über mein Gesicht liefen. Im Regieraum hatte Till meinen Gefühlsgau schon vorausgesehen. Er kam in meine Kabine, sagte gar nichts und nahm mich in die Arme. Dann haben wir erst mal zusammen 'ne Runde geheult, und ich sagte in meinem Schmerz: »Wie oft muss ich diese ganze Scheiße eigentlich noch mal durchmachen?«

Till und ich, wir waren am Ende des Buchprojektes im wahrsten Sinne des Wortes echt »fertig« mit dem Buch. Erst das Schreiben. Dann die Verbesserungen. Dann gibt man das Buch ab und bekommt es lektoriert wieder. Also liest man es wieder neu. Komplett. Diskutiert über Sätze, Kapitel, Wörter. Korrigiert und ändert erneut beim Durchlesen. Dann gibt man es wieder ab. Und bekommt vom Verlag die Druckfahnen. Die liest man wieder durch, um zu prüfen, ob alle Änderungen auch richtig geändert wurden. Ich will nicht sagen, dass man dann schon echt keine Lust mehr hat, aber genau das trifft die Sache in des Pudels Dauerwelle! Aber – keinen Ärger aufkommen lassen, schließlich haben wir das ja alles so gewollt.

Als wir dann endlich auch das letzte Kapitel vom Hörbuch eingelesen hatten, waren wir sogar zu fertig, um zu heulen. Out of tears, wie es auf Englisch so treffend heißt.

Das war auch ein interessantes Unterfangen, das ganze Buch bis auf Tills Kapitel selber einzulesen. Und zwar laut, mit Betonung. Nicht ganz einfach mit einem Gehirn, das an einigen Stellen so verödet ist wie die Wüste Gobi. Aber wer hätte es sonst tun sollen? Carmen Nebel? Ilja Rogoff? Uli Wickert? Ich weiß selber, dass das Hörbuch manchmal nicht so klingt wie die alte Gaby Köster. Aber genau das isses ja, darum mache ich es ja selber. Ich kann ja nicht schreiben, dass ich mein neues Leben akzeptieren und annehmen will, und dann jemand anderes meine Geschichte lesen lassen, nur weil ich nicht wie vor dem drisseligen Anfall klinge!

Überhaupt bekomme ich, seitdem das Buch in den Läden steht und ich wieder unter die Menschen gehe, wahnsinnig viel Post. Und weil mein Büro zuhause ziemlich klein ist, habe ich mir mittlerweile große Plastikkisten zugelegt, um die Post zu sammeln. Ich bin selber immer elementar geplättet … Es ist so irre viel Post! Danke an dieser Stelle für die liebevolle Anteilnahme und ermunternden Worte an mich! Außerdem habe ich mich sehr über die Kommentare zu meiner neuen Frisur amüsiert! Andere Frauen verlieren in den Wechseljahren ihre Haare, aber ich bekomme eben welche dazu! Und warum? Weil ich es so schön finde!

Damit kommen wir auch zu den ganzen negativen Kritiken, die man natürlich mit so einem Buch und solchen Haaren auf den Plan ruft. Leider ist das Leben zu kurz für ein langes Gesicht, und deswegen habe ich irgendwann aufgehört, negative Kritiken zu lesen. Leben und leben lassen. Niemand wird gezwungen, mein Buch zu lesen oder eine Fernsehsendung mit mir anzugucken. Hare Krishna, das war das Wort zum Sonntag!

Ich wünsche allen Menschen Glück und Gesundheit und sage noch mal: Danke, danke an alle, die mich bei meiner Rückkehr so liebevoll aufgenommen haben!

Eure Gaby Köster

Köln, im Frühjahr 2012

»Till, du Schatz, willst Du nicht auch noch was schreiben?« Ja, liebe Gaby, ich will gerne noch mal der ganzen Welt aufschreiben, wie stolz ich auf dich und unsere Freundschaft bin. Und auf dieses Buch, das so erfolgreich geworden ist, wie Gaby und ich es in unseren kühnsten Träumen nicht zu träumen gewagt hätten. Es war unser erstes Buch und wir waren überall auf Platz 1 der Bestsellerlisten! Ich kann es immer noch nicht richtig fassen. Ein großes Dankeschön an all die Menschen, die so an Gabys Schicksal teilnehmen wollten. Die sich die Mühe gemacht haben, auch mir als Co-Autor Briefe zu schreiben. Diese Briefe und E-Mails haben mich sehr bewegt. Sie waren lustig, offen und immer ehrlich. Manche waren auch sehr traurig und trotzdem hoffnungsvoll - wie das Buch, welches sie inspiriert hat, diese Zeilen an mich zu schreiben. Noch mal: Herzlichen Dank für die Mühen, den Respekt und die ehrliche Anteilnahme.

Ich habe natürlich auch mit Freuden gesehen, wie Gaby sich ihren Weg in den Fokus der Öffentlichkeit zurückgekämpft hat. Wie ihr Motor wieder auf Touren kam und einige fulminante Höchstleistungen vollbrachte: schlagfertig, ehrlich, direkt und keinen Schritt zurückweichend. Lustig, nachdenklich und immer mit Grandezza und Würde. Das ist die Gaby, die ich bewundere und liebe. Und nicht nur ich. Auch meine Familie. Am Dienstag, einen Tag vor Gabys Comeback im Fernsehen wurde Zita eingeschult. Gaby war aufgeregt wie noch nie! Aber mitten im ganzen Comeback-Trubel bekomme ich eine SMS von meiner Freundin: »Lieber Schatz! Toitoitoi für Zita! Einen wunderschönen Tag für Euch!« Natürlich hat sie an Zita gedacht. Gaby Köster hat die wichtigsten Stunden ihres »neuen Lebens« vor sich, aber sie vergisst nicht den ersten Schultag ihrer kleinen Freundin. Diese Frau hat ein Herz so groß wie ein Braunkohlebagger! Unsere Familie hat so oft in der Woche irgendeinen Gaby-Moment: Zitas Lieblingslederjacke? Ein Geschenk von Gaby! Das Lieblings-Vorlese-Kinderbuch »Ab heute sind wir cool!« – natürlich auch ein Mitbringsel von Gaby. Mein Lieblings Stones-Shirt? Von Gaby! Der süße Strampler für Jakob … Dreimal dürfen Sie raten. Sie ist ein fester Bestandteil unseres Lebens. Und das ist einfach großartig. Punkt. Ausrufezeichen.

Till Hoheneder

Hamm, im Frühjahr 2012

Ein kleiner Gruß aus der Küche

So. Jetzt sitz ich hier und denke: Nun, Frau Köster – wie fängt man so ein Buch denn überhaupt an, wenn man sich ins öffentliche Leben zurückmeldet? »Genau, werden jetzt viele sagen – stimmt ja, die Köster war ja lange weg vom Fenster! Die war glaub' ich schwer krank oder so, ne? Da hat man ja lange nix mehr von gehört, der soll es ja gar nicht gutgehen!« Doch, lieber Leser, es geht mir den Umständen entsprechend sehr gut. Welche Umstände, fragen Sie? Sehen Sie: Darum habe ich dieses Buch geschrieben. Damit ich das mal für Sie und mich selber klar kriege. Schwarz auf weiß sozusagen. Das Schwarze sind die Buchstaben, und von rechts nach links gelesen ergibt sich der Sinn. Hoffentlich. Aber ein Buch braucht natürlich auch einen Anfang. So ne Art Gruß aus der Küche. Natürlich habe ich überlegt und überlegt: Kann das nicht ein anderer schreiben? Wie immer bei Büchern dieser Art hätte ich ja einen berühmten Kollegen fragen können, ob er mir nicht ein tolles Vorwort schreiben könnte! Meinen lieben Freund Mike Krüger zum Beispiel. Oder Hella von Sinnen, die treue Seele. Mein Mitautor Till Hoheneder wäre natürlich auch eine sehr praktische Wahl gewesen – wenn er doch sowieso das Buch mit mir schreibt! Aber das alles hätte bedeutet, dass ich Tauben zum Dom getragen hätte.

Möwen nach Helgoland. Oder Flip-Flops für Reinhold Messner besorgt hätte! Nein, mir wurde ziemlich schnell klar, dass ich das selber machen muss. Weil nur ich diese eine Frage beantworten kann, die ich mir selber auch immer stelle, wenn Prominente ein Buch schreiben: Warum? Also stelle ich mir mal selber diese ominöse Frage: Warum schreibe ich dieses Buch? Gute Frage, nächste Frage. Warum, warum, warum? Jetzt mal nicht sauer werden, liebe Leser, aber eins sage ich Ihnen gleich: In erster Linie schreibe ich dieses Buch für mich. Damit ich all diesen Wahnsinn, der mir widerfahren ist, besser verstehen kann. Damit ich mich nicht verliere in Selbstmitleid und Bequemlichkeit. Damit ich nicht kapituliere vor den körperlichen Handicaps. Damit ich hinterher sagen kann: es gibt keine Lauer, auf der ich nicht liege! Damit ich mein altes Leben verabschieden kann und auf dem Weg in mein neues Leben nicht den nötigen Mut verliere. Weil schon der Abschied vom alten Leben so viel Mut erfordert, dass mir manchmal angst und bange wird, ob ich das überhaupt schaffe. Die Resignation ist ein mächtiger Gegner und hat viele Verbündete und Zuspieler: Zeit, Mühe, Entbehrungen, Angst und Depressionen sind die besten Helfer der Resignation. Aber wie soll man sich von etwas trennen, wenn man sich daran nicht erinnert? Bevor man eine alte Kiste aus dem Keller zum Sperrmüll stellt, überprüft man doch auch ganz genau, ob man wirklich alles »wegwerfen« kann und will oder die Kiste gut verschlossen wieder in die Ecke stellt! Aber ich schreibe es in zweiter Linie auch für alle, die mich auf diesem Weg begleiten wollen. Weil ihnen zum Beispiel etwas Ähnliches passiert ist. Weil sie vielleicht ihre eigenen Erlebnisse mit meinen vergleichen wollen. Das mache *ich* auch gerne, das öffnet oft neue Türen und bringt neue Gedankenansätze.

Ist das Buch also eine Art Autobiographie? Ja, vielleicht. Ich erinnere mich an mein altes Leben und begleite mich selber auf der holperigen Straße in mein neues Leben. Es ist also keine Biographie im klassischen Sinne, die mit meiner Geburt anfängt und meinem ersten Eintrag ins Tagebuch: »Bin noch ziemlich fertig von der Geburt und schlafe sehr viel.« Nein, das ist eine Biographie, die eher im »Kösterschen« Sinne klassisch ist. Also chaotisch. Springend. Widersprüchlich. Lustig. Manchmal habe ich in Erinnerungen gekramt und habe gelacht, bis mir die Tränen gekommen sind. Und habe trauernd weitergeheult, weil viele dieser Erinnerungen zwar zu meinem Leben gehören, aber zu meinem anderen Leben. Mein Herz war manchmal so schwer, weil die Erinnerungen an viele geliebte Wesen zwar noch klar und lebendig auf meiner Festplatte gespeichert waren, aber die Menschen und Tiere, die Hauptdarsteller dieser Erinnerungen schon lange tot sind.

Aber auch die Erinnerungen können sterben. Ich habe so manches Bild mühsam wieder zusammensetzen müssen, was natürlich Fragen aufwirft, die ich mir auch gerne stelle, wenn ich persönliche Erinnerungen lese: Was ist denn jetzt wohl wahr? 95 Prozent? Oder nur 60? Und der Rest wurde schön aufgehübscht bei der Erinnerungsausgrabung und -restaurierung, oder was?

Naja. Das ist so eine Sache. Nur zu gerne mogelt uns unser Unterbewusstsein eine angenehmere oder lustigere Variante einer Szene unter. Kennen wir alle. Ich habe mir echt Gedanken gemacht, ob alles auch hundertprozentig stimmt. Aber hundertprozentig kann ich das eben auf keinen Fall garantieren, das wäre ja auch sowieso blödsinnig. Es gibt immer zwei Seiten einer Geschichte. Aber meiner Meinung sollte es auch gar nicht um die hundertprozentige Wahrheit meines ersten Kindergartentages gehen! Sehen Sie es doch mal so: Wenn alternde Rockstars der sechziger/siebziger Jahre ihre Memoiren schreiben, ich bitte Sie! Leute wie Keith Richards sind über 10 Jahre im tiefsten Drogennebel verschollen gewesen, woran wollen die sich denn bitte da genauestens erinnern? Amüsante Vorstellung, aber nicht sehr realistisch. Egal. Ich lese solche Biographien trotzdem sehr gerne! Weil es nicht um historisch akkurate, genau dokumentierte und wahre Erinnerungen geht, sondern darum, sich ein Gesamtbild von dem Menschen zu machen. Das Gelesene im eigenen Hirn zu einer eigenen »Komposition« zu verschmelzen. Sich hineinzuversetzen in Situationen, Gedanken und Ansichten eines anderen Menschen, für den man Interesse, bestenfalls Sympathie oder aber manchmal vielleicht sogar Abscheu und Ekel empfindet. Das sind eben alles echte Emotionen. Das ist es, warum ich dieses Buch schreibe. Weil ich Emotionen wecken will. Bei mir und Ihnen, den Lesern. Ich versuche »uns« klarzumachen, was mit mir passiert ist und warum.

Angeblich ist das ja mit den sogenannten Promi-Biographien so: Sie leben davon, dass sie angeblich drei Fragen beantworten, als da wären: Wo kommt die Person her? Hat sie ein dunkles Geheimnis? Mit wem war sie im Bett? Tja, liebe Freunde des gepflegten Tratschboulevards, da muss ich schon mal vorwarnen: Ich komme aus dem Bauch meiner Mutter, mein dunkles Geheimnis ist wahrscheinlich mein leichter Hang zur permanenten Zwangsakquise von elektronischen Unterhaltungsgeräten, und mit wem ich im Bett war, werde ich Ihnen bei aller Liebe nicht auf die Nase binden. Weil es uns nicht weiterbringen wird, ganz ehrlich. Also vergessen Sie diese Art von Biographie und folgen Sie mir lieber auf einigen Trips in die Vergangenheit. Denn eines war mir schon vor dem Schreiben klar: Ich kann nicht meinen neuen Lebensabschnitt beginnen, wenn ich nicht den alten aufgearbeitet habe. Ich muss nach vorne gucken, in die Zukunft. Wenn ich mich aber permanent nach hinten umdrehe, weil ich eigentlich nicht so wirklich nach vorne will, dann werde ich mich nach kurz oder lang wieder voll auf die Schnauze legen. Das will ich nicht. Seine Zappeleminenz, Lord Schlauchbootlippe alias Mick Jagger hat das mal so ausgedrückt: »I have no interest in recreating the past.« Will sagen, er möchte seine Geschichte beziehungsweise seine Vergangenheit nicht permanent neu erleben oder von anderen darauf reduziert werden. Weil *er* sie ja schon kennt. Das kann ich gut verstehen. Es ist gut, neue Wege zu suchen und zu gehen.

Ich muss auch einen neuen Weg finden, meine Straße des Lebens neu entdecken, gestalten und anlegen. Sollte dieses Buch mir und irgendeinem Menschen helfen, sich hierfür neu zu motivieren, dann habe ich mein Ziel erreicht. Was immer auch andere denken und schreiben werden über dieses Buch: Ich hoffe einfach nur, dass jeder Leser sich von diesem Buch in irgendeiner Art inspirieren lässt. Was immer auch dabei herumkommen mag. Die Gedanken sind frei.

So, das hätten wir also schon mal geklärt. Bleibt nur noch die Frage, warum Till Hoheneder dieses Buch mit mir geschrieben hat. Das hat viele Gründe. Ich kann wegen der gelähmten Hand nicht wirklich gut und effizient tippen. Und schnell schon mal gar nicht. Also war mir klar, dass ich jemanden brauche, der mir sehr beim Schreiben hilft. Aber diese Person würde persönliche, sehr intime Dinge von mir erfahren. Das war mir – schon beim reinen Nachdenken darüber – sehr unangenehm. Es musste also jemand sein, der mir nahe und vertraut war. Der sich mit bekloppten Künstlerhirnen auskennt. Der mit meinem Stil klarkommt, und eine für mich moralisch integere Person ist. Der aus den kostbaren Blumen, die ich teilweise unter harten Entbehrungen auf meiner Erinnerungswiese gepflückt habe, einen wunderschönen Strauß binden kann. Und am besten auch noch Künstler und mein Freund ist … und wenn es geht mit dem Sternzeichen Schütze! Ha! Es musste einfach Till sein, denn das alles trifft auf den »Grafen«, wie ich ihn gerne nenne, zu. Till hat mir geholfen, das Unkraut im Beet der Erinnerungen nicht einfach zu ignorieren oder achtlos auf dem Kompost zu verbuddeln. Nein, der »Graf« hat es oft genug auch einfach rausgezogen, um es mir hart, aber herzlich und mit sehr viel Einfühlungsvermögen unter die Nase zu halten. Das war oft nicht einfach. Manchmal hat dieser feinsinnige Gefühlsminenschnüffler auch etwas zwischen den Zeilen gelesen und unaufgefordert aufgeschrieben. Wahrheiten und Erinnerungen aus mir herausgelockt, die ich *so* leicht nicht hergeben oder beschönigen wollte, weil sie so schmerzhaft waren und immer noch sind. Aber eines habe ich dadurch gelernt: Alles muss raus! Das Gute und das Schlechte. Halbe Zöpfe abschneiden ist keine dauerhafte Lösung! Ängste verlieren einen großen Teil ihrer dämonischen Abgründe und Qualen, wenn man sie ausspricht. Till und ich, wir haben sozusagen einen Teil von mir erfolgreich exorziert! Wir haben zusammen gelacht und geweint, vieles war einfach und vieles dauerte unerträglich lange, weil es in unseren Köpfen erst mal verarbeitet werden musste. Ich weiß, dass Till – um meine Ängste und Nöte emotional nachzuvollziehen und mit angemessenen Worten zu beschreiben – sich selbst nicht gerade geschont hat. Er hat so manches Mal die Grenze des seelisch Ertragbaren mit mir ausgelotet, überschritten und hat mit Tränen bar bezahlt. So wie ich. Dafür danke ich ihm. Und das ist dann auch das eigentlich essentielle Fazit dieses Buches. Egal, was Sie, liebe Leser, über dieses Buch denken und wie Sie das Gelesene empfinden werden – Sie sollten eines wissen: Ich habe mich nicht geschont. Ich habe alles gegeben. Ich habe Ihnen die Fenster zu meinem Herz und meiner Seele geöffnet, und bitte Sie sehr herzlich, sie nach der Lektüre wieder behutsam zu schließen.

Ihre Gaby Köster

Der erste Dachschaden

»Ach, du liebe Scheiße! – Gaby, bitte bleib ganz ruhig!«

Diesen Satz von meinem Freund fand ich noch ziemlich lustig, denn er beinhaltete zwei Aussagen, die sich meistens nicht miteinander vereinbaren lassen! Oder wie sehen Sie das Verhältnis von »Scheiße« und »ruhig«? Ich sollte recht behalten, leider. Unglaublich viele Steine und Dachpfannen vom Vordach meines uralten Bauernhauses auf Ibiza hatten sich nach Hunderten von Jahren entschlossen, sich vom Haus zu trennen, um es sich auch mal auf der Terrasse ein bisschen gemütlich zu machen. Als ich mit Donald auf die Terrasse ging, um das Malheur zu betrachten, verflüchtigte sich meine gute Laune so schnell wie ein Spritzer Parfüm in einer Hallenbadumkleidekabine für Dreibeiner. Einmal zurückspulen bitte, dachte ich noch. Pikloppter als mit diesem drisseligen Drecksdriss konnte der lang ersehnte Urlaub ja wohl kaum anfangen. Dabei brauchte ich die Erholung so sehr wie ein blindes Huhn 'nen Doppelkorn.

In den letzten Wochen vor Weihnachten war mir alles aus dem Ruder gelaufen. Live-Auftritte mit meinem Bühnenprogramm »Wer Sahne will, muss Kühe schütteln«, dazu noch ordentlich Promotion- und TV-Termine – und fertig war ein nervenaufreibendes Reiseprogramm mit schön viel Vor-Weihnachtsstress und wenig Schlaf! Ich möchte allerdings nicht nur stöhnen, denn ich habe schließlich viel Spaß an meinem Beruf, und ich hatte mich auch sehr über den Deutschen Comedy Preis für die beste Künstlerin gefreut! Selbstverständlich haben wir dieses freudige Ereignis auch ausführlich mit einem großen Schrubbeimer Mai-Thai ohne Saft auf der Aftershowparty im Savoy Hotel gewürdigt. Kurzum: Wenn ich also nicht auf der Bühne oder im Fernsehstudio stand, versuchte ich im Auto ein bisschen Schlaf nachzuholen. Was mir allerdings so selten gelang wie Gandhi die unkontrollierte Völlerei, um ehrlich zu sein! Ich habe nämlich wirklich starkes Lampenfieber und schütte vor jedem Auftritt genug Adrenalin aus, um ein Rudel paarungsunwillige Pandabären in einen hyperaktiven Swingerclub zu verwandeln!

Um das Elend komplett zu machen, möchte ich es auch nicht versäumen, darauf hinzuweisen, dass meine Ernährung eine wundervolle Steilvorlage für alle Wissenschaftler war, um zu zeigen, was man tunlichst vermeiden sollte! Es sei denn, wir kriegen noch irgendeinen verstrahlten US-Professor dazu, eine Komplettvernichtung von zwei Tüten Haribo Colorado in 15 Minuten zu einem vollwertigen und sinnvollen Mittagessen zu deklarieren. Zusammengefasst sah mein physischer Zustand vor dem Weihnachtsurlaub folgendermaßen aus: Eine Körperspannung wie ein Pfund Magerquark in ’ner Salatschleuder, unterernährt, dauermüde und charakterlich leicht überspannt. Diese Diagnose erforderte wirklich entspannte und glückliche Weihnachtsferien, gerade beim Blick in den Rückspiegel wird mir das erschreckend klar.

Um beim Rückspiegelbild zu bleiben: Das Unheil klebte

schon mit Tempo 200 an meiner Stoßstange, wild blinkend und hupend. Und mir hätte klar sein müssen, dass ich ihm nicht davonfahren konnte, schon gar nicht mit einem völlig überlasteten Motor. HÄTTE – MIR – KLAR SEIN – MÜSSEN!!! Ja, Freunde der gepflegten Beatmusik, hinterher ist man immer schlauer! »Hinterher« habe ich ja auch realisiert man, dass ich die letzten zehn Jahre eindeutig zu oft meinen Motor in den roten Bereich gedreht habe! Tournee, Drehstress, Familie ... ich habe immer versucht, mich um alle und alles zu kümmern. Mein Freund Till sagt ja immer gerne, dass ich mich wahrscheinlich noch im Sterben liegend eher um andere kümmern würde als um mich – frei nach dem Motto: »Du armer Schatzek, du siehst ja gar nicht gut aus mit deinem Schnupfen! Entschuldige bitte, ich sterbe gerade und ich hoffe, das stört dich nicht – aber ich kümmere mich sofort um ein Taschentuch für dich ... Warte ich hole schnell eins und sterbe dann morgen! Ich mach dir erst mal 'nen leckeren Milchkaffee und hol 'nen Stücksken Kuchen ...!« Ich weiß, ich weiß. Aber so bin ich nun mal. Wenn ich gewusst hätte, was passieren würde ... hättste, wennste! Habe ich aber nicht. Und außerdem: Im Rückspiegel betrachtet werden Ereignisse, von denen man nach ihrem großen Auftritt oft annahm, sie wären »aus heiterem Himmel, ganz plötzlich und völlig unerwartet passiert«, oft logisch und in ihrer Entwicklung zwingend unausweichlich. Man fährt los mit vollem Tank und plästert mit 250 stundenlang über die linke Spur und auf einmal ist doch tatsächlich überraschenderweise der Tank leer! Wie konnte das passieren? Sehen Sie, so geht es mir auch. Ich habe von 1995 bis 2007 auf der Überholspur gelebt. Ich bin ein Rennen gefahren, bei dem viel auf der Strecke geblieben ist. Warum und wieso? – das lässt sich aus der Distanz immer besser erklären beziehungsweise erkennen. Leider resultiert diese Distanz samt Durchblick oft aus einer großen Katastrophe, einem reinigenden Ungewitter sozusagen.

Aber ich will jetzt nichts vorwegnehmen. Ich versuche auch niemanden anzuklagen oder Schuld in die Schuhe zu schieben. Was passiert ist, ist passiert, und jeder hat seinen Teil dazu beigetragen – das gilt auch für mich. Was mich jedoch sehr erstaunt hat, ist die Tatsache, dass ausgerechnet mein größter Erfolg – die Serie »Ritas Welt« – Segen und Fluch zugleich war. Aber schön langsam mit den hüftsteifen Gäulen. Tasten wir uns langsam an den Abgrund heran und dann noch ein bisschen weiter.

»Ritas Welt« war eine der erfolgreichsten TV-Sitcoms Europas. Die Zuschauerzahlen waren in der Spitzenzeit bei über sieben Millionen pro Sendung. 2002 war in der Glotze höchstens noch »Wetten, dass ...?« erfolgreicher. Produziert wurde »Ritas Welt« im Auftrag von RTL von der Columbia TriStar, aus der später dann Sony Pictures wurde. Mit Rita habe ich so ziemlich alles gewonnen, was man im deutschen Fernsehen so an Preisen gewinnen kann: Adolf-Grimme-Preis, Deutscher Fernsehpreis, Deutscher Comedypreis und hast du nicht gesehen!

Falls einer nicht mehr weiß, worum es in der Serie ging, weil er zu der Zeit abends kein Fernsehen gucken durfte. Oder wie einige meiner besten Bekannten – der Graf wird wissen, dass er gemeint ist – in ihrer pseudointellektuellen Ignoranz das Privatfernsehen »als solches« für den Untergang des kulturellen Abendlandes verantwortlich machen, will ich noch einmal kurz den Plot dieser achtundsiebzig

Folgen, aufgeteilt in fünf erfolgreiche Staffeln, erläutern: Die Kassiererin Rita Kruse (meine Rolle) arbeitet gemeinsam mit ihrer guten Freundin Gisi, dem Metzger Berni und Lehrling Didi in einer Filiale einer fiktiven Marktkette in Köln-Nippes. Alles könnte eigentlich ganz okay sein, sogar die Arbeit könnte Spaß machen, wenn es da nicht den großen Störenfried und Nervenräuber gäbe: »Filialleiter« Achim Schuhmann, ein übellauniger, pedantischer Miesepeter, der zu Hause von seiner eigenen Frau ordentlich Ärger bekommt und deswegen in seinem Frust immer wieder gern mit allerlei Vorschriften und Paragraphen seinen Mitmenschen die letzten Nerven inklusive Lebensfreude raubt.

Privat hat Rita vor allem den ganz normalen Alltagswahnsinn mit ihrem Mann und den zwei Kindern zu bewältigen. Ihr Mann Horst ist launisch, aber auch herzensgut; die Tochter Sandra, die später zu einem Auslandsaufenthalt in die USA aufbricht, versucht immer wieder, die Autorität ihrer Mutter zu untergraben, während ihr Sohn Markus mitten in der Pubertät und den damit üblichen Problemen steckt. Kurzum – der ganz normale Wahnsinn oder fast wie im richtigen Leben. Darum war die Serie ja auch so beliebt. Wenn es unrealistisch und klischeestrotzend hätte zugehen sollen, hätte man ja wohl auch eher was »Superweibiges« mit Frau Ferres drehen können. Die fand ich sehr gut in ihrem Film »Die Frau Checkpoint hat jetzt auch einen Charly« … oder werfe ich da was durcheinander? Wahrscheinlich, also verzeihen Sie – wo war ich stehengeblieben? Ach ja, bei meiner kleinen Einführung in »Ritas Welt«, genau! Soweit also der Plot der Serie.

Wenn ich so recht überlege, gab es bei »Ritas Welt« eigentlich von vornherein nur Ärger, Gerangel und intrigante Attacken zwischen allen Beteiligten. RTL wollte mich von Anfang an für die Hauptrolle besetzen, was allerdings auf wenig Gegenliebe bei den Autoren stieß. Die wollten nämlich auf keinen Fall, dass die schrille Frau Ulknudel Köster »ihre Serie« kaputt machte, was in dem üblichen »nur über unsere Leiche«-Gekreische endete.

Wir alle wissen, dass RTL sich durchgesetzt hat. Aber Ablehnung, Misstrauen und Vorbehalte waren somit schon mal auf allen Seiten verteilt und gesät worden, und sie sollten im Laufe der harten Produktionsjahre noch prächtig wachsen und gedeihen wie Unkraut. Selbstverständlich muss man sich immer vor Augen führen, meine lieben Leser, dass Spannungen am Arbeitsplatz durchaus auch positive Auswirkungen haben können, gerade im künstlerischen Bereich. Wenn wir mal ganz hoch greifen wollen: Die Beatles wären sicher nicht so erfolgreich gewesen, wenn es bei aller Freundschaft nicht eine unglaublich künstlerische Rivalität zwischen Lennon und McCartney gegeben hätte ... Oder denken Sie nur an Richard Burton und Liz Taylor ..., Kinski und Werner Herzog – die Liste ist endlos! Der Erfolg von Ritas Welt hatte viel mit diesen anfänglich sehr kreativen Spannungen zwischen Autoren, Produzenten und hauptsächlich meiner Person zu tun. Aber der aufmerksame Leser stutzt gerade schon richtig: Da steht doch »anfänglich sehr kreativen«? Nachdem »anfänglich« alle war, kam es leider immer häufiger zu psychischen Scharmützeln, die am Ende bei den Dreharbeiten zur letzten Staffel in einen sinnlosen Rosenkrieg führten. Ich will Ihnen mal ein kleines Beispiel geben: Wenn zum

Beispiel im Text stand, dass »Rita« den Kleiderschrank ihrer Tochter durchschnüffeln sollte, dann habe ich dagegen ein Veto eingelegt. Weil ich die Ansicht vertrete, dass man das auf keinen Fall machen darf – die Privatsphäre eines Teenagers verletzen! Man darf ja auch nicht vergessen, was für eine Vorbildfunktion so eine Rolle wie die »Rita« hatte! Jetzt sagen Sie nicht: »Das war doch 'ne lustige Comedy-Sendung!« Das war sie ja auch für viele bestimmt »nur«. Es gab aber auch genügend Menschen, die irgendwann geglaubt haben, dass Klausjürgen Wussow gar nicht er selber war, sondern »Professor Brinkmann von der Schwarzwaldklinik«! Und ich war für Tausende einfach Rita Kruse. Ich bin so oft und auch so bestimmt als »Frau Kruse« angesprochen worden, dass es mir gleich klar war, dass Widerspruch zwecklos war: »Frau Kruse, ich habe ja auch so einen Ärger mit der Tochter!« Oder wenn ich im Supermarkt nach dem Preis einer Tüte Saft fragte, da kam meistens nur: »Das müssen Sie doch wissen!« Gerne sagten auch mal die Kassiererinnen zu mir: »Seien Sie froh, Frau Kruse, dass Sie nicht die neuen Scannerkassen haben!« Das Publikum verwechselt eben gerne mal die Schauspielrolle mit der Realität. Und weil ich das natürlich fast jeden Tag erlebt habe, war mir auch klar, dass so eine Schnüffelaktion im Kleiderschrank für viele Mütter eine willkommene Legitimation sein könnte, das Gleiche zu tun. Also habe ich gesagt: »Nein, das werde ich als Person mit Vorbildfunktion nicht drehen.« Zack, Bumm, Basta! Und schon hing wieder der Haussegen schief, und es ging wieder hoch her! Aber die Autoren wollten natürlich von solchen Sachen nichts hören. Die Autoren wurden ja auch nicht im Supermarkt oder auf offener Straße mit »Frau

Kruse« angesprochen. Und dabei, liebe Freunde des gestreuselten Kuchens, ging es ja noch nicht mal um Textprobleme! Denn wenn es um Text ging, dann wurde meistens noch heftiger gestritten – mit einem Unterschied: Wurde am Anfang noch zum kreativen Wohl um jedes Wort im Text gekämpft, ging es am Ende immer häufiger nur noch um persönliche Abneigungen, Demütigungen, Macht- und Egospielchen. Jeder wollte dem anderen klarmachen, wer der Chef an der Schüppe ist. Die ganze Reibung, die dieses Produkt so wahnsinnig erfolgreich gemacht hat, die hat schlicht und einfach am Ende auch dafür gesorgt, dass die Arbeitszustände für alle immer unerträglicher wurden. Eins wird mir immer klarer, wenn ich mich an diese Zeit erinnere: Was mich angeht, so war »Rita« sozusagen der erste Eisberg für die Titanic. Aber erst mal Galama – immer mit der Ruhe und eins nach dem anderen.

Nicht jede Taube bringt Frieden

So ein Drehtag für eine TV-Sitcom wie »Ritas Welt« ist kein Kindergeburtstag, sondern anstrengend. Bitte nicht falsch verstehen, Ihr tapferen Malocher auf allen Baustellen dieser Welt. Ich finde es immer etwas unpassend, von harten, anstrengenden und körperlich wie psychisch aufzehrenden Dreharbeiten zu reden, weil ich natürlich weiß, dass wir Schauspieler in den meisten Fällen dafür auch fürstlicher entlohnt werden als der normale Malocher an der Schüppe, ist schon klar. Aber »drehen« ist trotzdem sehr anstrengend, auch wenn man nicht körperlich schuftet! Ich bin kein Zuckerpüppchen und schon mal gar nicht mit 'nem goldenen Schnuller aufgezogen worden, aber die letzte Staffel »Ritas Welt« wurde 16 Wochen lang im Sommer im wahrsten Sinne des Wortes durchgedreht. Am Stück.

Wie sieht so ein Drehtag aus? Drehbeginn war – je nachdem, wann wir nachts aufgehört hatten – morgens zwischen sieben und acht Uhr, und selten waren wir abends vor zwanzig Uhr fertig. Fertig schon – aber nicht fertig mit drehen … ha, kleiner Scherz! Es gab ja auch Verzögerungen, Nachtdrehs und hastdunichtgesehen. Und so war es keine Seltenheit, dass ein Drehtag über 12 Stunden dauerte. Und da ich ja nun mal die Hauptdarstellerin war, hatte ich natürlich jeden Tag am Start zu sein. Woche für Woche, bis die Staffel endlich abgedreht war. Was die meisten natürlich auch gar nicht wissen können, ist die Tatsache, dass nicht etwa schön Folge für Folge chronologisch fertiggedreht wurde. Nein, nein, mein Freund! Alles, was im Supermarkt passierte, wurde hintereinander abgedreht, von vorne bis hinten! Aufgepasst, denn das bedeutet nämlich auch, dass man von Anfang an das ganze Drehbuch können musste und sich nicht Tag für Tag dran entlanghangeln konnte. Also kam man fix und foxi nach Hause und lernte noch mal schnell seinen Text, bevor man stumpf in sein Bett knallte. Gott sei Dank hat mir Donald oft beim Lernen geholfen, so konnten wir wenigsten etwas Zeit miteinander verbringen. Die Mum und mein kleiner Schatz haben mich während der Dreharbeiten so oft besucht, wie es möglich war. Einmal kam Donald sogar mit der ganzen Schulklasse vorbei, das war der Hammer, und wir hatten viel Spaß. Aber letztendlich hat der kleine Mann mich natürlich sehr oft vermisst und hat es in seiner Verzweiflung eines schönen Tages dann auch mal auf den Punkt gebracht: »Hört denn diese ›Rita‹ nie auf?«

RTL hatte die letzte Staffel »Rita« auf den letzten Drücker bestellt, und das hatte Konsequenzen, unter denen wir Darsteller sehr leiden sollten. Die Künstlergarderoben in der Nähe des Studios waren schon an andere Produktionen vermietet worden. Dadurch waren unsere Garderoben gefühlt ungefähr einen halben Tagesritt vom Studio entfernt. Das hört sich jetzt lustiger an, als es war, denn es war wirklich nicht möglich, mal eben schnell auf die Toilette zu gehen, sich auszuruhen oder umzuziehen, da ja aufgrund der Spätbestellung nur noch der Rest vom Schützenfest gebucht werden konnte. Sie kennen ja das alte Sprichwort: Wer nicht bucht zur rechten Zeit, der hat keinen Grund zur Heiterkeit! Also, mal zehn Minuten entspannen in der Garderobe zwischen zwei Takes oder in einer kleinen Drehpause einen schnellen Schlüsselschlaf abschnurcheln – das konnte man schon mal generös abhaken.

Es gab aus denselben Spätbuchergründen seitens des Senders auch keinen Cateringraum. Stattdessen gab es wie auf einer Kirmes eine Art Imbissbudenwagen, der draußen stand und durch das Vordach zwischen zwei Studios nur notdürftig gegen Regen geschützt war. Wenn der Wind aus der falschen Richtung blies, war der Schutz noch nicht mal notdürftig. Gut, jetzt könnte man natürlich befreit aufatmen und sagen: »Wie gut, dass wir immer im Hochsommer gedreht haben!« Blöd nur, dass der deutsche Hochsommer in den letzten Jahren eher an einen milden arktischen Frühwinter erinnert hat und wir meistens Probleme hatten, »Wann wird's mal wieder richtig Sommer« zu pfeifen, weil die Lippen wegen der Kälte zu spröde waren. Die Krönung des ganzen Desasters übernahmen dann zwischendurch die Tauben, die in unser Essen schissen. Sie können sich also vorstellen, dass sich schon alleine aus dieser Catering-Situation genügend Munition für permanenten Ärger ergeben hat. Die Produktionsleitung wurde obendrein noch von ganz oben angehalten, wegen des straffen Drehplans für die 16 Folgen den vorgegebenen Zeitplan rigoros einzuhalten. Etwaige Einflussnahme auf die Texte wurde nicht mehr geduldet, und folgende Devise wurde ausgegeben: »Die Köster soll gefälligst sprechen, was da steht!« Leider gab es alle Nase lang Textstellen, die zwar im Schriftdeutsch schön zu lesen waren, aber gesprochen – und zwar aus meinem vorlauten Mund – nicht unbedingt Sinn machten. Aber je rüder meine Verbesserungsvorschläge abgeblockt wurden, desto penetranter wurde ich, und so wurde von der Produktion langsam aber immer häufiger die Mär verbreitet, ich würde nur rumzicken, Diva-Theater spielen und somit völlig egoverzogen einen reibungslosen Ablauf der Dreharbeiten sabotieren. So, so.

Nach ein paar Wochen passierte während der Dreharbeiten zur letzten Staffel dann Folgendes: Es häuften sich unerklärliche Krankheitsfälle am Set. Wir kämpften mit Reizhusten, Schnupfen, geröteten und brennenden Augen, Unwohlsein und Erkältungssymptomen. Natürlich dachten wir zuerst mal alle an einen normalen Ringelpietz-Schnupfen – will sagen: Einer schleppt eine Erkältung an und verteilt sie großzügig und ungefragt an alle anderen Mitarbeiter. Aber irgendwie dauerte das alles zu lang für eine normale Erkältung. Vielleicht waren das ja eher allergische Reaktionen? Und so wurden endlich nach langem Drängeln irgendwann mal Fachmänner bestellt, die den Drehort auf eventuelle »Substanzen« checken sollten, die solche körperlichen Reaktionen hätten auslösen können. Alleine, dass so lange damit gewartet wurde, ist schon diskussionswürdig. Weil die ganze Sache ja heruntergespielt wurde nach dem Motto »Frau Diva Köster hat Star-Husten und muss wieder gepampert werden, weil sie sonst nicht richtig arbeiten kann«. Pustekuchen! Die Wahrheit war: Die ganzen Lebensmittel in unserem Studio-Supermarkt waren abgelaufen und fingen munter an, sich blau zu vermehren. Schimmel, Sporen und Pilze überall – in den Dosen, unterm Fußboden, et cetera, et cetera, et cetera!

Aber natürlich, Frau Köster hat Star-Husten! Puste-Huste-Kuchen! Der verseuchte »Supermarkt« hat uns die Pestilenzsporen angedreht, so war es und nicht anders!

Sie können sich vorstellen, dass das gesamte Ensemble angesichts dieser schimmeligen Nummer etwas angefressen war und es auch nur eine Frage der Zeit war, bis unter dem Topfdeckel die Suppe langsam durch zu viel Druck explodieren sollte.

Eines Tages geschah dann das wohl unvermeidliche Drama. Es regnete mal wieder aus der falschen Windrichtung, und meine Mitspieler und ich fanden die gesamte Situation langsam wirklich nicht mehr tragbar. Der Produktionsleiter hatte aber wohl auch an jenem Morgen einen quer sitzen, rastete mal eben komplett aus und machte uns den Kinski mit doppelt geschraubtem Rittberger. Wie ein Verbalmastino kläffte er die übelsten Beschimpfungen und beleidigte meinen Filmmann Frank. Da es aber mal wieder vorgekommen war, dass die Tauben ins Essen geschissen hatten, und es mich und alle anderen Schauspieler nach wie vor fürchterlich nervte, dass die Toiletten und die Garderoben nicht nur gefühlt so weit weg wie »Indien« waren – nämlich am Ende des Ganges –, riß an diesem Tag mein Geduldsfaden und der Mond platzte. Ich stand auf und sagte nur – oder sagen wir besser, ich könnte auch gebrüllt haben, was glaube ich eher der Wahrheit entspricht: »Wenn das so ist, dann fahr ich jetzt mal nach Hause.« Das habe ich dann auch gemacht, denn für mich war eine Grenze überschritten worden. Das ganze Elend hatte eine Dynamik entwickelt, die jegliche Art von vernünftiger Arbeit unmöglich machte. Auf derartigen Stress hatte ich wirklich keinen Bock, das hatte mit einem guten Arbeitsklima soviel zu tun wie ’n Kipplaster Buttercremetorte mit ’ner Nulldiät. Ich habe dann, als ich zu Hause war, erst einmal meinen Manager Töne Stallmeyer in Münster angerufen. Da Töne ziemlich hell im Kopf ist, reagierte er sehr schnell und fragte verwundert: »Was machst du denn zu Hause? Wieso drehst du denn nicht?« Ich gab ihm ziemlich deprimiert einen kurzen Überblick über die Vorkommnisse. Töne fackelte wie üblich nicht lange und reagierte sofort: »Du bleibst, wo du bist, ich bin in einer Stunde bei dir.«

Fünfzig Minuten später klingelte es an der Haustür: »Ding, dong.« Ich hätte es mir eigentlich denken können, war trotzdem völlig überrascht, als Töne vor der Tür stand: »Wo kommst du denn her, Herr Stallmeyer? Bist du wieder mit Porsche Airlines über die Autobahn geflogen?« Töne nahm das Zepter des Handelns sofort an sich und verabredete sich mit RTL und der Produktionsfirma zum Krisenmeeting. Ich sollte erst mal weiter zu Hause bleiben, damit ich mich beruhigen konnte. Das Lustigste war eigentlich, dass sich bei dem Meeting mit der RTL-Führungsetage herausstellte, dass die Herrschaften von all dem Driss nix wussten! Also – von den Missständen bei den Dreharbeiten. Denen war immer nur von Seiten der Produktion gesteckt worden, dass »die Köster andauernd durchtickt«. Grundlos sozusagen! Jasichaaaaaa! Logen, Bibo! Leute, da könnte ich mich beim Schreiben dieser Zeilen schon wieder in Rage plustern. Klar, ich habe ja jeden Tag in meinem 20-Meter-Starwohnwagen gesessen und mir überlegt, mit welchem Diva-Gehabe ich die Produktionsleitung quälen könnte. Und zwar mit Forderungen, die selbst Madonna oder Jennifer Lopez wie harmlose

Chorschwestern aussehen lassen würden: Der Boden meines Wohnwagens musste ausgelegt werden mit reinster peruanischer Anden-Lama-Gonadenbehaarung. Habe ich vergessen zu erwähnen, dass ich mich außerstande sah, auch nur ein Wort Text zu sagen, wenn ich nicht jeden Morgen von der gesamten Produktionsleitung mit dem folgenden kleinen Morgengebet begrüßt wurde: »Lieber Gott, wir danken Dir, denn jetzt ist unsere Gaby hier!« Danach musste jeder mit einem Knicks und einem angedeuteten Handkuss an mir vorbeigehen und »Danke, Frau Köster« sagen.

Ich glaube, es hackt! Entschuldigung, ich weiß, dass Schauspieler, Künstler und ähnliche Lebewesen wirklich ein bisschen anstrengend sein können, sonst könnten sie ja den Wahnsinn nicht bringen, aber bei dieser Produktion waren wir von Luxus und Starallüren so weit entfernt wie Kermit von einer chinesischen Schlittenfahrt mit Miss Piggy.

Das Ende vom Lied war natürlich, dass alle Missverständnisse vernünftig geklärt wurden und die letzte Staffel endlich abgedreht werden konnte. Kleiner Nachtrag: Nach der Krisensitzung beim Sender wurde dann plötzlich eine Kantine gebaut, inklusive Toiletten und Handwaschbecken! Was dann auf einmal alles kein Problem war. Natürlich. Selbstverständlich. Wahrscheinlich alles nur ein großes Missverständnis. Jaja.

Das war dann auch das Ende der Serie. Ich habe damals wirklich nicht realisiert, wie sehr mir diese Erfahrungen letztendlich geschadet haben. Ich war dünnhäutig geworden, ohne es zu bemerken, und die Ereignisse, die privat und beruflich noch vor mir lagen, sollten mir noch weiter zusetzen, mehr als mir eigentlich bewusst war. Diese »Rita« war wirklich Fluch und Segen zugleich. Übrigens – als die erste »Rita«-DVD veröffentlicht wurde, bekam ich ein Belegexemplar zugeschickt. Am meisten habe ich mich über die beigelegte Karte amüsiert, die in dem Satz mündete: »… damit Sie sich Deutschlands beliebteste Kassiererin auch zu Hause angucken können!« Großartig, oder?

Auch privat hatte es in der Vergangenheit heftigste Turbulenzen gegeben und somit wenig Erfolgsmeldungen. Die Scheidung von meinem Mann Thomas war für die Boulevardpresse ein willkommener Anlass, mir und meiner Familie die wichtige Privatsphäre ordentlich zu versauen. Reporter lungerten vor unserem Haus und machten mir und meinem armen Kind das Leben noch schwerer. Es ist schon schwer genug für ein Kind zu verstehen, warum sich seine Eltern nicht mehr lieb haben – aber noch schwerer kann man ihm erklären, warum auf einmal Fotografen hinter der Hecke hervorspringen, laut rufen »Komm raus, du Schlampe, wir brauchen ein Foto von dir!« und mit riesigen Kameras vor einem kleinen Kindergesicht rumschwirren!

Das war eine schlimme Zeit für meinen Sohn Donald, und das hat natürlich auch mir psychisch sehr zugesetzt. Man hat sowieso schon das Gefühl, versagt zu haben und bekommt Angst, dass das Kind nicht mit der neuen Situation fertig wird. Wie soll es aber überhaupt beruhigt werden, wenn man nicht in Ruhe gelassen wird? Mir hat es mal wieder Grenzen aufgezeigt, die ich einfach nicht akzeptieren kann: Wieso darf ich mich nicht ohne »Öffentlichkeit« scheiden lassen? Ich habe meine Hochzeit weder an irgendeine Tratschpostille verscherbelt, also darf ich doch wohl auch bei einer privaten Trennung für mich bleiben, oder? Also addieren wir zum beruflichen Stress auch noch viel privates Tohuwabohu, das mein geschundenes Nervensystem quälte. Ich war ja wenigstens so klug gewesen, mir in Töne Stallmeyer einen neuen, klugen und moralisch integeren Manager an die Seite zu stellen.

Ich hatte ihn bei »7 Tage, 7 Köpfe« als Agent von Atze Schröder kennengelernt und war von Anfang an von seiner ganzen Art sehr angetan gewesen. Er spielte sich nie auf und machte auch nie einen auf dicke Hose – das machen ja viele Manager sehr gerne, die sich dann fast noch wichtigtuerischer aufführen als ihre Künstler! Um genau zu sein, war er sogar der einzige Agent, der sich bei »Köpfe« nicht in den Vordergrund gedrängt hatte. Töne war immer der verlässliche Flügelmann an Atzes Seite und immer hundertprozentig im Dienst seines Künstlers, ohne devot oder schleimig rumzusülzen. Brauchte er natürlich bei Atze auch nicht, weil der ja auch ein sehr unkomplizierter und angenehmer Kollege ist. Töne genoss – was sehr selten war – sogar Rudis Respekt. Ich erinnere mich, wie Rudi Carrell mal nach einer Probe zu Töne ging und den quirligen Rotschopf fragte: »Hast du das geschrieben, was Atze da gerade gebracht hat? Das war witzig!« Wenn der große Rudi Carrell jemanden witzig fand und ihm das auch noch sagte, dann war das schon etwas sehr Seltenes. Das kam ungefähr so häufig vor wie lebendige Fischstäbchen in freier Wildbahn!

Wir hatten uns jedenfalls angefreundet und mochten uns sehr. Also rief ich ihn eines Tages an und fragte ihn frisch und frei vom Leberfleck weg: »Hast du noch Kapazitäten frei? Willst du mich managen?« Zu meiner großen Freude nahm er das Angebot an, und bis heute bin ich der Ansicht, dass das geschäftlich die beste Entscheidung war, die ich je getroffen habe. Privat ebenfalls, denn wir sind auch sehr gute Freunde geworden.

Inmitten des ganzen Tohuwabohus der letzten »Rita«-Staffel, dem privaten Trennungstheater und den Vorbereitungen zu meinen neuen Projekten für RTL fragte mich Töne irgendwann mal: »Sag mal, Frau Köster, wird das bei dir auch mal ruhiger zugehen?« Ich antwortete damals wahrheitsgemäß – ohne jedoch zu ahnen, was da noch alles auf uns zukommen würde: »Nein, mein Lieber. Niemals, das kann ich dir schon mal garantieren!«

Bei den Dreharbeiten zur Bullenbraut bekam ich auch wieder diese schwere, miese, dreckselendige Allergie, die ich von da an immer fluchend die »Seuche« genannt habe. Weil alles am Körper juckte, kribbelte, anschwoll, sich rötete sowie obendrein auch noch sehr schmerzhaft war.

Bei einer Stuntszene hatte ich mich dann auch noch verletzt, und mein Nervenkostüm lag so frei und blank wie ein Rudel Brüste am FKK-Strand von St. Tropez. Ernsthaft gesagt: Ich brannte wie eine Turbokerze an zwei Enden. Obwohl es beileibe nicht das erste Mal war, dass mein Körper so heftig reagierte: Bei »Rita«-Dreharbeiten musste ich laut Drehbuch einen kalten Wasserstrahl aus einem Schlauch ins Gesicht bekommen. Diese Szene wurde so oft wiederholt, und ich bekam diesen saukalten Strahl so oft mit Kawumm in mein Gesicht, dass die linke Gesichtshälfte am Ende des Tages beschloss, anzuschwellen, sich nicht mehr zu bewegen und schief runterzuhängen. Und zwar für die nächsten vier Wochen. Weil ich Gott sei Dank gleich zu einem Nervenspezialisten gegangen bin, habe ich die Sache überhaupt wieder in den Griff bekommen. Überflüssig zu sagen, dass natürlich weitergedreht wurde! »Oder zahlen Sie den entstandenen Schaden durch Drehausfall, Frau Köster?« Ja, ne, is klar!

Nach einem langen Gespräch mit Töne über meine berufliche Zukunft habe ich dann 2004 beschlossen, wieder auf die Bühne zurückzukehren, um dem Wahnsinnsstressfaktor der ewigen Dreharbeiten zu entkommen. Es war natürlich ein bisschen naiv anzunehmen, dass dieser Entschluss mein Leben in ein ruhiges Fahrwasser führen würde. Aber so bin ich nun mal: Ich denke erst mal positiv und stürze mich voller Elan in meine Visionen! Meinen Körper und seine gesundheitlichen Probleme hat das zu der Zeit – das weiß ich natürlich aus heutiger Sicht – schon alles gar nicht mehr wirklich interessiert. Eher gar nicht. Leider. Der kochte stattdessen sein eigenes Süppchen weiter und war eher genervt von dem ewigen Stress, der schlechten Ernährung, meinem ungesunden Extremab- und -zunehmen und sagte sich schlussendlich wohl so etwas wie: »Köster, entweder schaltest DU ziemlich bald mal 'nen Gang runter oder ICH schalte auf ›R‹ wie Rallye, und dann geht es hier aber mal richtig ab!« Um es anders zu formulieren: Mein Körper fing also fatalerweise während des Jahres 2007 damit an, diverse Immunabwehrschlachten auch ohne meine geschätzte Mithilfe zu führen. Die Folgen beziehungsweise die Auswirkungen dieser internen Scharmützel ließen nicht lange auf sich warten. Und sie waren heftiger, als ich sie bisher erlebt hatte.

Ich hatte ja schon öfter Bekanntschaft gemacht mit diesen allergieartigen, extrem unangenehmen und schmerzhaften Reizzuständen der Haut gehabt, mit der »Krätze«! Aber was sich da während der Weihnachtsferien 2007 anbahnte, das habe ich, gelinde gesagt, sträflich unterschätzt. Ich habe alle Alarmglocken ignoriert, obwohl mir schon klar war, dass das alles eine Spur heftiger – oder sagen wir – sogar »brutaler« war als sonst. Die Krätze fing an zu explodieren und entwickelte sich sozusagen zum Seuchen-GAU. Was das bedeutete? Erst fing es ganz langsam an. Aber dann, aber dann …

Auf der Tournee im November, Dezember 2007 ist mein linker Arm oft eingeschlafen und fühlte sich entweder taub oder verkrampft an. Ich bin oft nachts aufgestanden und habe mir dann kaltes Wasser über den Arm laufen lassen, um diese komische Gefühllosigkeit wegzubekommen. Ich hatte außerdem permanent dieses unglaublich schmerzhafte Druckgefühl in der Schädelbirne und bekam also kurz vor den Feiertagen zu allem Überfluss noch meine gefürchtete Krätze – aber dieses Mal so schlimm und schmerzhaft wie noch nie! Deswegen habe ich zwar versucht, Weihnachten etwas ruhiger anzugehen, aber das war natürlich von vornherein ein grandioser Misserfolg. Das war ja praktisch »Scheiße mit Ansage«, oder? Ist doch jedes Jahr immer dasselbe! Zuerst kommen im Dezember die ewig gleichen, schon hunderttausendfach gebrachten, beschwörenden Sprüche wie »Dieses Jahr tun wir uns aber mal diesen Stress nicht mehr an«, der dicht gefolgt wird von dem Klassiker »Auf keinen Fall machen wir es so wie letztes Jahr!« Was natürlich beschämend dämlich ist, weil es dann sowieso wie immer abläuft: Einkäufe auf den letzten Drücker, Geschenke kaufen, verlegen, wiederfinden und einpacken. Die Pute bestellen, abholen … »Wir haben doch den Sekt vergessen! – Und wann holen wir eigentlich den Baum rein?« – »Wieso Baum? Welchen Baum? Ich habe doch noch gar keinen … Nein, ich dachte, du wolltest dieses Jahr keinen …« – »Natürlich hab ich das gesagt!« – »Na toll, wo sollen wir denn jetzt noch einen herkriegen und schmücken?« Und nach dem Essen und der Bescherung kam alles, wie es kommen musste, frei nach dem Motto: »… und weil wir gerade so gemütlich zusammensitzen, machen wir am besten auch noch die *dritte* Flasche von dem leckeren Roten auf, sonst wird die am Ende noch schlecht.«

Der ganz normale Heiligabend-Wahnsinn also, nur morgens mit leichtem Kater statt Komplettversagen. Am ersten Feiertag wollte ich eigentlich in Ruhe (haha!) die Koffer für Ibiza packen und die letzten Reisevorbereitungen angehen, aber stattdessen besuchten wir gute Freunde im Ruhrgebiet. Das sind sehr liebe Menschen, aber sie wohnen eben nicht in meinem Haus! Das hatte wiederum zur Folge, dass das Kofferpacken am Abend mal wieder so ordentlich und präzise ablief wie der Angriff einer Horde Enten auf ein schwimmendes Toastbrot im Stadtparktümpel. Und selbstverständlich habe ich mir laut und deutlich mehr als ein Mal in dem ganzen Chaos geschworen: »Gabriele, nächstes Jahr machen wir das aber mal so was von anders, da wird pihaupt gar nicht soviel vor Weihnachten malocht! Jawoll.« Allerdings habe ich mich ja natürlich auch immer wieder mit der Vorstellung beruhigt, dass ich auf Ibiza ankommen würde und der Urlaub und die Erholung so schnell am Start wären wie ein Grizzly an der Lachsausgabe! Ich dachte, ohne den ganzen Stress an der Backe würde alles sofort wieder easy, tacko und relaxt!

Vielleicht hätte ich das vorher meinem ollen ibizenkischen Dach mal sagen sollen? Dann wäre mir wenigstens der erste Dachschaden erspart geblieben! So jedoch fand ich mich nach der Ankunft bei meinem Haus auf der Terrasse mit einem Handy am Ohr im Schutt wieder, um einen ibizenkischen Dachdecker-Fachbetrieb mit der Reparatur zu betrauen. – »Moooooooment! Die Hausversicherung, Gaby! Sollen die sich doch kümmern und den drisseligen Drecksdachschaden selber beheben!« Das hätte eine gute Idee sein können, aber: Der spanische Handwerker als solcher betrachtet den nicht heimischen Hausbesitzer vor allen Dingen als unermessliche Geldquelle, die es nach allen Regeln der unlauteren Kunst zu schröpfen gilt. Und so war es eigentlich nur mehr als verständlich, dass die Versicherung erst einmal einen einheimischen Sachverständigen vor Ort schickte, damit der einheimische Handwerker wiederum nicht nach der Reparatur meines Daches seine Rente um 20 Jahre vorziehen konnte. Dass dieser Sachverständige seinen Sachverstand mit einer Souveranität demonstrierte, die seiner fachlichen Qualifikation in nichts nachstand, wurde mir gleich nach seinem eindrucksvollen Fazit nach Betrachten des Malheurs klar: »Davon habe ich keine Ahnung, ich bin Klempner!« Na super, dachte ich mir. Das ist doch mal wirklich originell! Ein Klempner, der als Sachverständiger für eine Versicherungsgesellschaft einen Dachschaden begutachten soll. Man kann sagen, was man will über den Mann, aber ehrlich war er! Donnerwetter. Das musste ich mir für mein Soloprogramm merken! Das machte ungefähr genau so viel Sinn wie Sand fegen in der Sahara. Ich konnte mein Glück über soviel Unsinn kaum fassen! Mein Pech war nur, dass der Dachschaden davon nicht behoben wurde und der erste Urlaubstag von ohnehin nicht vielen erholsamen Urlaubstagen schon mal mit einem Riesenstorno abgeheftet werden konnte.

Die restlichen Tage verbrachten wir also damit, verschiedene Baumaterialien zu besorgen, damit wir mit der Reparatur des Daches anfangen konnten. Dazu brauchten wir diese riesigen Holzbalken aus dem wunderschönen, inseltypischen Sabinaholz und Mönch- und Nonne-Dachpfannen. Hier sollte ich vielleicht erklären, dass so eine über dreihundert Jahre alte Finca natürlich nicht einfach so mit irgendwelchen Materialien ausgebessert werden kann. Logisch, oder? Kein Mensch kommt ja auch auf die absurde Idee, den kaputten Kotflügel einer dreißig Jahre alten 2CV Ente mit dem neuen Ersatzteil eines Daihatsu Cuores auszubessern. Nein, nein. Ich habe mich ja gerade in dieses alte Haus mit seinen dicken Mauern und etwas rustikalem Charme verliebt, weil es so urwüchsig, würdig und stolz ausgesehen hat. Weil es nicht bei »Reich, schön, berühmt und Hauptsache gesehen werden« gestanden hat, sondern mitten in der Pampa. Dieses Haus liebt man, weil es so ist, wie es ist. Weil es sonst keinen Sinn macht. Es ist nicht hip, man kann damit nicht angeben – man kann es ja noch nicht mal von der Straße aus sehen. Man kann »nur« seine Ruhe haben, die Natur genießen, sich in diesen alten Mauern geborgen fühlen und über die Geschichten aus den letzten Jahrhunderten nachdenken, die sie erlebt haben. Und wenn also etwas kaputtgeht, dann wird es wieder heile gemacht, wie es vorher war. Punkt, basta, fini. Das wird allerdings dann schnell auch mal zu einer sehr zeitintensiven Angelegenheit, will sagen: Der geplante Versuch, ein bisschen runterzukommen und zu relaxen, blieb somit auch nur ein müder Versuch. Silvester, Neujahr haben wir natürlich auch nicht links liegen lassen und anständig mit Freunden und Bekannten gefeiert. Unterm Strich war das zwar dann auch so gesehen alles sehr schön gewesen, aber mit Ruhe und Erholung hatte das natürlich ungefähr soviel zu tun wie die Mona Lisa mit 'nem Arschgeweih. Ich weiß noch, wie ich mir erneut immer wieder gesagt habe, dass ich nächstes Jahr alles anders machen würde. Hätte ich geahnt, dass wirklich alles anders werden würde und vor allen Dingen, warum, dann würde ich jetzt wahrscheinlich eine eigene Sendung bei Astro TV haben und mein Geld mit einer Kristallkugel und Hellsehen verdienen.

Oft denke ich heftig darüber nach, ob es wohl wirklich einen x-beliebigen Punkt vor dem 8.1.2008 gegeben hat, an dem ich mein Schicksal hätte abwenden können? Gab es irgendeine Kreuzung auf meinem Lebensweg, an der ich noch hätte abbiegen können? Was wäre wohl gewesen, wenn ich einfach auf Ibiza geblieben wäre und einfach alles abgeblasen hätte, um mich noch zwei weitere Wochen zu erholen? Und selbst in Deutschland – was wäre gewesen, wenn ich zum Arzt gegangen wäre und der mich in ein Krankenhaus geschickt hätte? Wenn irgendeine Untersuchung gezeigt hätte: »Frau Köster, Sie stehen kurz vorm Schlaganfall, da haben Sie aber mal Glück, dass Sie heute gekommen sind!« Ja, was wäre dann passiert? Ein anderes Unglück? Gar nichts? Dasselbe, nur später? Das Schlimme ist: Es ist egal, das werde ich nie erfahren. Das Gute ist: Es ist egal, das werde ich nie erfahren! Bob Dylan hat mal in einem Lied gesungen: »All I gotta do is survive.« Alles, was ich tun muss, ist überleben. Ja, Bob, wenn das mal immer so einfach wäre, was?

Der zweite Dachschaden

Als wir am 6. Januar 2008 nach Köln zurückgeflogen sind, ist mir der Abschied von der Insel wirklich sehr schwergefallen. Ich hatte das dumpfe Gefühl, dass der Urlaub jetzt erst hätte richtig losgehen müssen. Der private Wahnsinn und der berufliche Stress – meine ganz persönlichen Horror-Twins – hatten sich im Urlaub nicht verjagen lassen und saßen mir immer noch in den Knochen. Und wenn sie mir mal nicht in den Knochen saßen, dann hockten sie mir breitärschig auf der Schulter. Einer links, der andere rechts und piesackten mich unendlich. Ein untrügliches und unübersehbares Zeichen dafür war meine dämliche Allergie, von mir auch gerne nur »die Krätze« genannt, die sich samt juckendem Hautausschlag nicht wirklich gebessert hatte. Neu und auch völlig unbrauchbar war, dass ich nachts nicht mehr richtig schlafen konnte und wenn, dann überhaupt nur sehr unruhig. Immer wieder stand ich auf, um mich kalt abzuduschen. Am 7. Januar, dem ersten Tag zu Hause, bekam ich vom Arzt Kortison verschrieben, damit ich den Wunsch, mir die Haut in Streifen abzureißen, im Zaum halten konnte.

In der Nacht vom 7. auf den 8. Januar schlief ich kaum. Wieder musste ich mehrfach aufstehen, um mir kaltes Wasser über die Arme laufen zu lassen. Ich ging nach unten ins Bad, damit meine Lieben durch mein Aufstehen, Lärmen im Bad und Mich-wieder-hinlegen nicht gestört wurden. Der 8. Januar begann für mich mit heftigstem Unwohlsein und großer innerer Unruhe. Ich war zwar morgens aufgestanden, kam aber überhaupt nicht auf Touren und legte mich gegen 10.00 Uhr morgens unten im Wohnzimmer auf das große Sofa. Es ging mir wirklich nicht gut. Gegen 12.00 Uhr ging ich unten auf die Gästetoilette, um mir kühles Wasser über den heftig juckenden linken Arm laufen zu lassen. Als ich von der Toilette aufstand, wurde mir plötzlich sehr flau. Ich fühlte mich magisch vom Boden angezogen. Dann machte es »RUMMMS« und ich fand mich auf dem Boden wieder.

Meine Gästetoilette ist nicht klein, aber ich bin mit 1,76 Meter Körperlänge auf jeden Fall irgendwie größer. Ich fiel also leider nicht bequem der Länge nach hin, sondern versuchte stattdessen, mit dem Kopf die Heizung aus der Wand zu reißen! Auf dem Boden liegend war mein erster Gedanke: Scheiße, jetzt habe ich mir aber sehr weh getan! Verdammt weh getan.

Vom Hölzken aufs Stöcksken

Nicht, dass Sie mich falsch verstehen, aber es gibt ja »Unfälle« oder Verletzungen, da weiß man: Okay, das ist jetzt nicht gerade prickelnd, aber auch nicht schlimm. Aber als ich da so lag, da war mir schon irgendwie klar, dass die Sache nicht mit einem Pflaster und einem Cognac »auf den Schrecken« erledigt sein würde. Aber die Betonung lag ganz klar auf »irgendwie«. Es war eher so, dass ich überhaupt nicht in der Lage war, meinem Körper oder einzelnen Teilen davon einen konkreten Befehl zu geben, und dass ich meinen Zustand als sehr verwirrend in Erinnerung habe. Und während ich darüber nachdenke, was ich empfunden habe, kann ich wirklich nicht mit hundertprozentiger Wahrheit sagen, was wirklich los war in den Minuten nach dem Sturz. Nur eine Empfindung ist mir immer wieder eingefallen, wenn mich die Leute später gefragt haben: »Wie war das denn, als du hingefallen bist? Was hast du da gedacht?« Meine Antworten haben sicher – je nachdem welches Vertrauensverhältnis ich zu dem Fragenden hatte – variiert, aber sie begannen immer mit den Worten: »Scheiße, jetzt habe ich mir aber sehr weh getan.«

Je mehr ich über diesen Satz nachdenke und je häufiger ich ihn lese, fällt mir aber auch auf, dass sich hinter diesem Satz noch eine zweite, große und weite Bedeutungsebene befindet. Denn »verdammt weh getan« hat so vieles in meinem Leben. Das fängt natürlich bei der Geburt an, aber daran kann ich mich beim besten Willen nicht mehr erinnern! Oder haben wir das aus unserem Bewusstsein verdrängt? Sozusagen die erste amtliche Verdrängung? Interessant ist doch, warum man so viele schmerzhafte Erlebnisse verdrängt? Sind wir das Ergebnis aus Umwelt, Vererbung und sozialer Intelligenz? Oder ziehen wir aus unserem täglichen Leben und seinen vielschichtigen Ereignissen keine Konsequenzen? Will sagen: Wenn ich mich scheiden lasse, weil meine Beziehung zu meinem Mann nicht mehr funktioniert, werde ich dann in meiner nächsten Beziehung aus meinen Fehlern gelernt haben und nur noch glücklich sein? Was, wenn nicht? Keine Angst, ich werde hier keinen Rosenkrieg ausbreiten. Meine Scheidung geht niemanden etwas an, auch wenn die Boulevardpresse von Bild bis Express das sicher anders gesehen hat. Damit das klar ist: Ich werde hier gar nicht über meine Liebesbeziehungen zu den Männern in meinem Leben reden, weil ich diesen privaten Teil für mich behalten werde. Ich weiß, dass viele Menschen während meiner Abwesenheit vom öffentlichen Leben den einen oder anderen Namen in irgendeiner drisseligen Illustrierten gelesen haben. Und ja, ich hatte eine Beziehung zu einem Mann vor dem 8. Januar. Aber sie ist von den Ereignissen aufgefressen worden und mehr will ich dazu nicht sagen. Kann ich auch nicht, ohne ungerecht zu werden. Stellen Sie sich vor, Sie haben einen Mann kennengelernt, Sie sind verliebt und dann passiert ein so urgewaltiger Schicksalsschlag mit so einschneidenden Konsequenzen, dessen Folgen Sie überhaupt nicht für fünf Cent überblicken können. Oder wollen. Oder beides. Und möchten noch dazu. Nein, da werde ich mich nicht zu irgendwelchen moralinsauren Anschuldigungen oder Bewertungen hinreißen lassen. Und meine Wäsche – schmutzig oder nicht – wasche ich alleine zu Hause, liebe Freunde der gepflegten Indiskretionen! Das gebührt der Anstand und meine gute Erziehung. Außerdem: Ich werde in diesem Buch schon genug private und intime Sachen sagen, die verdammt nochmal sehr ehrlich sind und die ich mir wahrlich schwer abgerungen habe. Unbequeme Wahrheiten, vor denen ich mich bisher gefürchtet habe, aber von denen ich wusste, dass sie tief in mir schlummerten. Die ich verdrängt habe und auf keinen Fall ausgesprochen habe. Jedes Mal, wenn diese Wahrheiten aufgetaucht sind und ich sie wirklich ausgesprochen oder aufgeschrieben habe, haben sie mich verletzt, traurig, wütend, machtlos und verzweifelt gemacht. Und erleichtert. Mich auch oft wieder ins Gleichgewicht gebracht. Sie haben mir Mut gemacht, den Tatsachen ins Auge zu sehen, egal, ob ich davon begeistert war oder nicht.

Wie oft liest man solche Bücher wie dieses hier und fragt sich, ob nicht zu dick aufgetragen wurde. Ob auch alles so stimmt oder sich etwas dazugemischt hat in vielen Erlebnissen, was aber wie in einer Art »Stille-Post-Effekt« entstanden ist und somit ein fester Bestandteil einer Begebenheit wurde. Sie wissen schon, was ich meine. Jeder von uns kennt diese Geschichten aus der Familie, die im Laufe der Jahre lustiger wurden, als sie vielleicht waren. Schwer zu sagen. Ja, wahrscheinlich ist alles in diesem Buch wahrhaftig wahr. Und ein klitzekleines bisschen wird auch mal gelogen. Obwohl … – gelogen ist auch nicht wirklich wahr. Gelogen ist nicht wahr, sondern auch wieder ein bisschen gelogen. Wie kann ich es besser umschreiben? Sagen wir besser: Ab und zu hab ich ein wenig gemauschelt? Die Erinnerung verklärt und wohlwollend mit humoristischem Cockpitspray aufgehübscht? Ja, kann sein. Vieles kann nicht mehr eindeutig geklärt werden, weil die Schönfärberei der Vergangenheit entsteht, damit die Narben, Wunden und nicht so schöne Erfahrungen im Nachhinein besser verheilen und nicht so wehtun. Und das Schöne soll eben noch heller strahlen! Machen wir das nicht alle? Je älter wir werden, je mehr wir erlebt haben und je bitterer uns klarwird, dass wir unsere Unbeschwertheit längst an die unbarmherzig vorrückende Zeit verloren haben? Woher kommen denn die ganzen Sprüche der über Fünfundvierzigjährigen: »Wir waren arm, aber glücklich!« – »Wir hatten kein Spielzeug – brauchten wir auch nicht, das haben wir uns aus Holz geschnitzt, das reichte uns!« – »Natürlich haben Eltern auch mal zugeschlagen – na und? Hat uns auch nicht geschadet!« Und so weiter, tatütata! Selbst ich habe mich schon sagen hören: »Ich habe mich kaputtmalocht als Jugendliche und in einem Drecksloch gewohnt, aber – was war das für eine tolle Zeit! Wir waren so frei und glücklich!« Ach, ja? Komm, jetzt mal Butter bei die Fische und Sahne an den Pansen: Kennen wir doch alle, die Sprüche. So oder so ähnlich. Von uns und anderen. Ich gebe Ihnen mal einen guten Tip: Schauen Sie sich Ihren Lieblingsfilm von vor 20 Jahren noch mal an. Genau! Den Film, aus dem Sie immer so gerne zitieren und allen erzählen, wie wahnsinnig lustig der ist. Ganze Szenen haben Sie doch auf Partys aufgeführt! Aber ich warne Sie – es könnte sehr gut sein, dass Sie sehr enttäuscht vor der Kiste sitzen werden und sich fragen, wie Sie diesen Film nur so lustig finden konnten? Ich kann es Ihnen sagen: Weil es eine andere Zeit war. Weil Sie ein anderer Mensch waren und Ihre Lebensumstände sich geändert haben. Und jetzt bloß nicht die nächsten abgedroschenen Sprüche aus der Phrasenschatulle aller redseligen VIPs servieren: »Ich habe mich nicht verändert durch mein Geld und meinen Ruhm! Ich bin immer noch dieselbe wie vor zehn Jahren!« Ja, natürlich! Nur mit dem Unterschied, dass man eben nicht mehr arm ist und als eventueller Konsumjunkie den halben Staatshaushalt von Burkina Faso für Klamotten, Schmuck und Autos oder wofür auch immer verballern kann. Aber verändert haben Sie sich natürlich nicht. Sehelbstverschtändlich, jawoll! Dass ich nicht lache.

Leute, ich bin kein Millionär und weiß trotzdem ganz genau, dass ich mich verändert habe: Erfolg und Ruhm verändern einen Menschen, und selbst wenn sie das nur in einem Ausmaß schaffen, der persönlich dank Betriebsblindheit nicht so große Konsequenzen für einen selber hat, dann schaffen sie es eben indirekt. Über deine Mitmenschen. Das geht ganz einfach! Zwei Beispiele: Wenn man viel Geld hat und ein altes, kleines Auto fährt, ist man als »Promi« entweder »bodenständig«, »cool«, »spießig« oder »geizig«! Vielleicht auch »lustfeindlich«. »Interesselos und ohne Spaß am Leben.« Stop, halt mal! Es ist doch nur ein dummes Auto! Wie groß darf mein Haus sein, ohne Neid hervorzurufen? Kennen Sie das? Sie gehen durch die Stadt und jemand grüßt Sie. Völlig in Gedanken übersehen Sie den Menschen und gehen grußlos weiter. Wenn mir das passiert, bin ich für viele einfach nur arrogant oder ein hochnäsiger Star, der »keinen« mehr kennt. Ich darf mich auch nicht über solche Begebenheiten beschweren, sonst sagen die anderen gleich: »Die hat es gerade nötig, sich zu beschweren! Hängt mit dem Arsch in der Butter, macht da ein bisschen Tralala inner TV-Kiste und flaniert vormittags, wenn alle arbeiten müssen, shoppend durch die Stadt. Handy am Ohr, zehn Tüten in der Hand und Auto im Parkverbot.« Ja sicher, alles klar! Und was ist hiermit: Ich habe schon früher immer im Parkverbot gestanden! Selbst, als ich es mir nicht leisten konnte, habe ich einen Euro ausgegeben, obwohl ich nur fünfzig Cent in der Tasche hatte. So sieht es doch mal aus! Aber egal, alles in allem beschwere ich mich lieber mal nicht. Und behaupte auch nicht, mein beruflicher Erfolg hätte mich nicht verändert. Hat er ja doch! Von Gerda Strappschweskilaczki will kein Verlag ein Buch herausbringen, obwohl ihr Leben vielleicht noch verrückter ist als meins.

Weil Gerda immer Gerda geblieben ist? Wohl kaum. Ich glaube, alle verändern sich. Immer. Ein Arschloch bleibt meistens ein Arschloch, mit oder ohne Geld. Der Schlüssel liegt ganz woanders: Unsere Veränderungen, wollen wir sie wahrhaben, annehmen und akzeptieren? Nach ihren Ursachen forschen? Ich sage Ihnen mal zwei Sätze, die ich noch nie begriffen habe und die ich sehr erschreckend finde: »Ich bereue nichts! Wenn ich noch mal leben könnte, ich würde alles noch mal so machen!« Gut nur, dass man nur einmal lebt und den Beweis für diese Aussage somit schuldig bleiben kann. Vieles in meinem Leben hat wehgetan, aber ich kann mich nicht an alles erinnern. Oder ich will mich nicht an alles erinnern. Ich verspreche dem Leser dieser Zeilen allerdings eines hoch und heilig: Ich werde versuchen mich zu erinnern, egal wie weh es tut. In meinem eigenen Interesse. Auch wenn es – und da bin ich mir sicher – manchmal »verdammt wehtun« wird.

Da lag ich also in meiner Gästetoilette und konnte mich mal ausnahmsweise nicht wirklich an ihrer wundervollen Fünfziger-Jahre-Ästhetik erfreuen. Die wundervollen schwarzen Kacheln und die türkisfarbenen Keramiken waren mir sogar gelinde gesagt drissegal. Verständlicherweise. Verdammt nochmal: Ich frage mich dauernd, was ich noch alles gedacht hatte, als ich auf dem Boden lag und alles verdammt wehtat? Ob ich nicht vielleicht etwas sehr Wichtiges oder gar Unwichtiges gedacht habe? Habe ich eventuell gedacht: So, Gabriele, jetzt ist aber Schluss mit lustig, jetzt ist Ende im Gelände? Ist etwa der berühmte Film an mir vorbeigezogen, und ich war wieder mal zu hibbelig gewesen, um mich zu konzentrieren? Wer bestimmt eigentlich bei diesen Filmen die Szenenauswahl? Im Ernst!

Wurden da zum Beispiel Dinge gezeigt, die auf meiner Festplatte verschüttet waren oder aus Gründen der möglichen, ungesunden Verschiebung des seelischen Gleichgewichts nicht gezeigt werden durften (ich sage nur: Papas Tod)? Oder bin ich einfach nur zusammengeklappt wie nach einem schnellen Strohhalmgenuss eines Schrubbeimers Mai Tai (ohne Saft, wie immer!)? Ich würde es gerne wissen. Habe ich gedacht, dass ich ewig da gelegen habe, obwohl meine Mum nach dem Gerumpel sofort herbeigestürzt kam? War das so laut, dass es nicht zu überhören war? Oder hat die Mum das etwa gespürt, dass ich in Not war? Das kennt man doch von seinen eigenen Kindern auch! Man steht in der Küche und ist am wulacken, und auf einmal fragt man sich aus heiterem Himmel, wo das Kind ist. Und dann ruft man nach ihm im Haus, und es kommt keine Antwort. Also rennt man schnell nach draußen auf die Straße und sieht wie der Bengel sich gerade am anderen Ende der Sackgasse voll mit dem Fahrrad auf die Schnauze legt und aus dem Ellbogen ein Pfund Hack am Musikantenknochen macht! Das nennt man, glaube ich, »Mutterinstinkt«. Die Mum sagt jedenfalls, sie hätte ein Gepolter und ein nie zuvor vernommenes Stöhnen gehört, und da wäre es ihr schon eiskalt den Rücken runtergelaufen. Ich für meinen Teil sitze noch heute oft in dieser besagten Gästetoilette und zermartere mir das Hirn, um der Wahrheit auf die Spur zu kommen, aber der Raum schweigt. Langer Schwede, kurzer Finn' – ich kann mich leider trotz aller Versuche nur an das erinnern: Ich fühlte einen unglaublichen Schmerz am Hals, und ich bin der festen Überzeugung, dass ich sofort versucht habe, mich wieder aufzurappeln! Dann kam die Mum herbeigestürzt und versuchte ebenfalls, mich hochzuhieven. Sie packte mich von hinten und sagte immer nur: »Du musst mir helfen, alleine schaffe ich das nicht.« Was nicht verwunderlich ist, wenn sie die Mum kennen würden. So klein und zierlich wie sie nun mal ist, sind 60 (durch einen Schlaganfall relativ unbewegliche) Kilo auf 1,76 Meter Länge in einer 1,50 Meter breiten Gästetoilette keine einfache Hebeaktion. Das ist ungefähr so einfach, wie Free Willy vom Sprungbrett ins Kinderplanschbecken zu schubsen. Aber irgendwie haben die tapfere Mum und ich das kleine Wunder vollbracht. Sehr wacklig auf den Beinen und mehr hopsend als laufend haben wir es bis ins Wohnzimmer auf das Sofa geschafft. Auf dem Sofa liegend wollte ich mich irgendwie drehen, aber meine linke Körperhälfte machte schon nicht mehr das, was ich wollte. Die Mum hatte in der Zwischenzeit unsere Hausärztin angerufen, und als sie wieder zu mir ins Wohnzimmer eilte, fand sie mich auf dem Holzboden wieder. Da an ein erneutes Kran-Manöver nicht mehr zu denken war, legte sie mir ein Kissen unter den Kopf und deckte mich zu. Kurze Zeit später kam unsere Hausärztin.

Ich muss wohl schon nicht mehr besonders gesund und munter ausgesehen haben, denn sie fragte mich als Erstes, ob ich noch wüsste, wer sie war. Ich wusste es, aber trotzdem merkte die kluge Frau, dass hier mehr im Busch war als eine kleine Unpässlichkeit und rief sofort einen Notarzt. Der Rettungswagen kam sehr schnell, und woran ich mich sehr gut erinnere ist, dass der Arzt mir immer wieder sagte, ich sollte den linken Arm heben. Doch der linke Arm funktionierte nicht mehr und ich hob stattdessen immer den rechten Arm. Diese Alternative fand der Herr

Notarzt nicht überzeugend, und ich wurde in den Rettungswagen verladen.

In unserer Straße war inzwischen der Bär los: Die komplette Nachbarschaft hing an den Fenstern und sah zu, wie wir mit Blaulicht losfuhren. Im Nachhinein denke ich oft: Was die armen Nachbarn immer mit der ollen Köster durchmachen müssen! Permanent die kläffenden Viecher, die usseligen Paparazzis und jetzt natürlich auch noch das volle Tatütata-Programm. Ohne Drama geht es nicht bei der Frau Köster. Zugegeben, da ist ein bisschen was dran, das lässt sich nicht so einfach wegbügeln. Damals habe ich Gott sei Dank nichts dergleichen gedacht. Mir ging es einfach nur schlecht, und ich habe zwar gewisse Wortfetzen gehört, aber das war alles schon sehr weit weg. Wie in Watte gepackt und kaum noch verständlich, es war, als ob das gar nicht mehr zu meinem Film gehörte. Ich befand mich wohl schon auf der Fähre über den Hades, aber noch galt die alte Chris-de-Burgh-Parole: »Don't pay the Ferryman!« Während der Fahrt wurde dann gecheckt, ob eine Spezialklinik für Schlaganfälle noch Kapazitäten frei hatte. Dort wurde ich dann auch erst mal hingebracht. Ab diesem Zeitpunkt enden auch meine eigenen realen Erinnerungen. Der zweite Dachschaden versuchte mit aller Gewalt mich per Express-Einschreiben zum lieben Gott zu befördern. Ob der Herr Fährmann wusste, wen er da an Bord hatte? So leicht ließ ich mich nicht von einem schangeligen Dreibein ins Jenseits rudern. Das wollten wir doch mal sehen, wer hier das letzte Wort hatte!

Was ich ab jetzt von der Einlieferung und den medizinischen Maßnahmen erzähle, basiert im Wesentlichen auf dem, was mir die Ärzte und meine Familie hinterher gesagt haben: Mit einiger Verspätung im Klinikum angekommen, gingen erst mal etliche Untersuchungen los: CT's und MRT's und das komplette Programm. Das Gehirn war sehr angeschwollen, das ist gefährlich, denn wenn es auf das Stammhirn drückt, ist Ende im Gelände. Duster im Keller. Deshalb hatte man mir einen Teil des Schädels entfernt, damit das Gehirn mehr Platz hatte. Das Gehirn wollte aber nicht abschwellen (schließlich ist es mein Hirn und ich kann sehr stur sein), deshalb hatte man nach einer weiteren Untersuchung meinen ganzen Körper heruntergekühlt. Meine Familie stand in Schal und Mantel an meinem Bett, alle Fenster auf, Anfang Januar, saukalt. In der Nacht stellten die Ärzte nach einer weiteren Untersuchung fest, dass ich noch eine Hirnblutung hatte. Also wurden wieder die Messer gewetzt für eine weitere Operation. Das sagte man mir mit den Worten: »Jetzt regen Sie sich bitte nicht auf! Wir müssen Ihnen einen Teil der Schädeldecke entfernen!«

Im Komaliegen hab' ich mir ruhiger vorgestellt

Ich habe dreieinhalb Wochen im Koma gelegen, und trotzdem schwöre ich Stein und Bein, dass ich einige Sachen im Unterbewusstsein mitbekommen habe. Zum Beispiel erinnere ich mich noch sehr gut an die Säge- und Bohrgeräusche, als man mir die Schädelplatte entfernte. Das glauben Sie nicht? Sie meinen, das würde ich mir im Nachhinein einbilden? Dann stellen Sie sich doch mal einen Tag lang ohne Ohrstöpsel bei Obi an die Holzsäge, bis Ihnen der Lärm und die Vibrationen der Säge durch Mark und Gebein brettern! Oder stellen Sie sich vor, der Zahnarzt lässt die Wurzelbehandlung ausfallen und setzt die Zahn-Hilti stattdessen direkt an der Schläfe an – so komatös können Sie gar nicht sein, um dieses grauenhafte Knirschen und Rattern und Heulen der schrillen Säge aus dem Bewusstsein zu stornieren! Auch das Herunterkühlen des Körpers für das künstliche Koma habe ich als Frostgefühl »wahrgenommen«! Das Interessanteste aber waren nicht die körperlichen Empfindungen während des Komas, sondern meine spirituellen und visuellen Erlebnisse! Ich glaube fest, dass es viele Faktoren waren, die mich dazu bewegt haben, nicht zu sterben beziehungsweise wieder aus dem Koma aufzuwachen. Mein Sohn Donald und meine Mutter Maria sind bestimmt sehr wichtig für meine Umkehr vom Weg ins Jenseits gewesen. Beide haben wohl unzählige Stunden an meinem Bett gesessen, gebetet und geweint: »Liebe Gaby, du darfst nicht gehen, wir brauchen dich doch noch so sehr.« Alleine die Vorstellung, dass meine Mutter, die wirklich unglaublich temperamentvoll und nicht unbedingt für ihre Wortkargheit bekannt ist, (will sagen, sie spricht eigentlich permanent ohnepunktundkomma) es für fast drei Wochen komplett die Sprache verschlagen hat (wie gute Freunde mir versichert haben!). Weil sie so unter Schock stand, dass sie nicht mehr sprechen konnte, ist eigentlich unfassbar für mich! Meine Mutter sagt heute selber, dass es ihr nicht nur die Sprache verschlagen hatte, sondern sie auch nichts essen konnte, nicht richtig denken, nicht weinen – das kam alles erst später, als sie in einem Supermarkt meine Fotos auf irgendwelchen Titelseiten gesehen hat! Da ist ihr Autopilot, den sie sich wohl als Schutzmechanismus eingeschaltet hatte, kurzgeschlossen worden, und daraufhin ist das ganze Elend aus ihr herausgebrochen. Alle Dämme waren auf einmal geflutet, und sie hat noch im Geschäft einen fürchterlich heftigen Weinkrampf bekommen, der nicht mehr enden wollte. Arme Mum! Das Gleiche ist ihr später auch noch mal auf der Straße passiert, vor einem Plakat der Netcologne, für die ich kurz vorher noch Werbung gemacht hatte. Was wohl für viele meiner Freunde gegolten hat!

Auch Till erzählte mir immer wieder, wie er Ende Januar 2008 einen Fernsehauftritt im WDR hatte und deswegen mit Jonas nach Köln gefahren war. Während sie permanent an eine in Lebensgefahr schwebende Gaby denken mussten, lachte ihnen von zig Reklametafeln eine hübsche, gesunde und breit grinsende Gaby entgegen! Als ob nichts passiert wäre, und der drisselige Schlaganfall nur ein schlimmer Traum gewesen war. Das stelle ich mir aber auch in der Tat sehr unwirklich und bizarr vor.

Mein geliebter Sohn Donald hat natürlich auch und gerade in der Zeit direkt nach dem 8. Januar sehr gelitten und mir später mal gesagt, er hätte noch nie in seinem ganzen Leben so lange nicht mit mir nicht gesprochen wie in dieser verflixten verfluchtmaledeiten drissdrecksdrisseligen Koma-Zeit! Sogar sein Zeugnis mit den guten Noten hat er mir am Krankenbett vorgelesen, um mir selbst noch im Koma zu beweisen, was für ein guter Junge er war! Als ob ich das nicht schon seit seiner Geburt wüsste! Meine Mum erzählte mir, nachdem ich aus dem Koma erwacht war, dass es für Donald ein unglaublicher Schock gewesen war, als er mich zum ersten Mal im Krankenhaus gesehen hatte. Der Schädel aufgeschnitten, im Koma und überall Schläuche, der rasierte Schädel – kein Wunder, dass er völlig entsetzt zur Mum sagte: »Die Gaby sieht gar nicht mehr aus wie die Gaby.« Wie schlimm mag er sich gefühlt haben – an einem Bett zu stehen, in dem seine Mutter mit dem Tode kämpft und dabei für ihn kaum zu erkennen war? Jesus, ich drehe durch, wenn ich nur daran denke. Aber mein tapferer Sohn hat sich der Herausforderung gestellt und sich nicht ins Bockshorn jagen lassen. Die Mum hat mir nämlich auch erzählt, dass Donald mich oft geküsst hat und dann geguckt hat, ob ich reagiert habe oder irgendeins der Geräte »ausgeschlagen« hat! Als ich endlich außer Lebensgefahr war, lief er im Haus immer hin und her und betete immer wieder laut: »Lieber Gott, ich danke Dir, dass meine Gaby noch lebt!« Ich habe mir weiß Gott diese Krankheit nicht ausgesucht, aber es bricht mir im Nachhinein noch das Herz, wenn ich darüber nachdenke, was meine Liebsten aushalten mussten!

Aber während ich im Koma lag, habe ich davon bewusst nichts wahrgenommen. Meine Seele hat mich auf eine andere Reise mitgenommen, und ich habe zwei Lebewesen besucht, die ich über alles geliebt habe und deren Verlust mich schwer getroffen hatte. Und natürlich ist mir klar, dass ich das nicht mit Logik erklären kann, was beziehungsweise wie das passiert ist. Aber eins ist mir seitdem klar: Es gibt einen Übergang vom bewussten Leben in den Tod. Wie immer das auch wissenschaftlich erklärt oder widerlegt werden kann, ist mir drissegal, denn ich bin der festen Überzeugung, dass unsere Seele samt Bewusstsein ohne unseren Körper nicht aufhört zu existieren. Das meine ich jetzt nicht unbedingt im Sinne der christlichen Religion, sondern wirklich eher pragmatisch. Meditation ist sicher eine Art Vorstufe zu diesem Zustand. Wenn man alleine schon bedenkt, zu welchen Leistungen der Mensch fähig ist, wenn er überleben will! Und wie oft haben wir erlebt, dass geliebte Menschen erst gestorben sind, als sie sich von bestimmten geliebten Menschen verabschiedet hatten! Da siegt nicht nur der Wille: Das ist die Kraft der Seele, die über den Körper triumphiert. Da gibt es übrigens ein tolles Lied von John Mellencamp, das heißt »Don't need this body« – das ist sehr bewegend und beschäftigt sich auch mit diesem Thema. Hören Sie sich das mal an. Wollte ich nur mal erwähnt haben.

Ich versuche das im Hinblick auf meinen komatösen Zustand mal so zu beschreiben: Das Radio selber war zwar aus, aber es wurden weiterhin Sendungen ausgestrahlt! Ich habe in diesem Niemandsland zwischen Leben und Tod ein paar Tage verbracht, und ich habe in dieser Zeit in meinem Kopfkino ein paar Dinge erlebt, von denen ich mir sicher bin, dass sie mich entscheidend beeinflusst haben, ins Leben zurückzukehren. Oder – wenn wir im Bild bleiben wollen – das Radio wieder anzumachen. Was war passiert? Wen oder was habe ich gesehen?

Wiedersehen auf der Wiese

Ich habe meinen Vater gesehen, der schon vor dreißig Jahren gestorben war. Damit können wir dann auch ausschließen, dass mein Vater wiedergeboren wurde, sonst hätte ich ihn ja nicht treffen können.

Wir standen zusammen auf einer saftigen, grünen Wiese. Diese Wiese und diesen Ort werde ich nie vergessen, und wenn ich wüsste, wo dieser Ort so ähnlich auf dieser Welt zu finden ist, dann würde ich mich auf die Suche machen, bis ich ihn gefunden hätte. Das Grün der Wiese war nicht einfach grün, es war so unwirklich grün wie in einer von diesen ollen Butterwerbungen, wo man immer denkt, dass es solche Wiesen auch nur dank digitaler Nachbearbeitung gibt. Aber dieser Ort war irgendwo im Niemandsland, und obwohl ich im Koma war und alles wohl nur geträumt habe, könnte ich schwören, dass alles echt und real war. Verrückt, ich weiß.

Egal. Ich stand also auf dieser wilden Wiese inmitten all

dieser wunderbaren Blumen und sah einen Himmel so hellblau, wie man ihn sich nur in Barbies pastellfarbener Bonbon-Welt vorstellt. Oder besser gesagt, wo ihr guter Freund, der letzte Lavendeltarzan Ken, wahrscheinlich auf Barbies Geheiß hin den Himmel extra in diesem wahnsinnig kitschigen Blau hat anmalen müssen, weil er sonst von ihr verstoßen worden wäre, ins Land der usseligen He-Männer. Tolle Vorstellung, oder? Natürlich werden Sie jetzt vor lauter Klischee zusammenzucken und sagen: »Pass auf, jetzt kommt gleich die Sache mit dem komischen, gleißend warmen Licht …« Quatsch mit Soße, liebe Freunde, das war ja kein David-Hamilton-Film, wo Sechzehnjährige im Tüllhemdnebel knutschen! Es war einfach ein wunderbar warmer Sommertag! Kaiserwetter an einem unvergleichlich schönen Ort, der Friede und 1000 Kilo reines Glück vermittelte. Wann immer ich an diese Bilder zurückdenke, packt mich eine wunderbare Sehnsucht, und ein heftig dicker Glücksstrahl durchflutet meinen geschundenen Körper und gibt mir diesen beruhigenden Seelenfrieden für ein paar wohlige Minuten. Und immer wieder, wenn ich an diesen Traum denke, dann frage ich mich, ob mit dem Tod wirklich alles zu Ende ist? Oder reist unsere Seele dann wirklich zu diesen Wiesen der Glückseligkeit? Wo wir die treffen, die wir schon lange begraben haben. Ist es wirklich wie in dieser wunderbaren Elegie »Adonais« des englischen Romantik-Poeten Percy Shelley, wo es heißt:

»Peace, peace! He is not dead, he doth not sleep,
He hath awaken'd from the dream of life!»

Friede, Friede! Er ist nicht tot, er schläft nicht,
Er ist erwacht vom Traum des Lebens!

Ja, vielleicht ist es genau DAS! Das Leben ist ein Traum, und wenn wir sterben, erwachen wir an einem anderen Ort und leben weiter? Warum nicht? Dort, wo ich war, war es jedenfalls wunderbar. Und das Beste war: Nicht nur mein Vater befand sich an diesem Weltklasseort, es kam noch besser: Um uns herum tollte ausgelassen meine über alles geliebte und leider vor Jahren verstorbene weiße Schäferhündin Frau Doktor! Ich war außer mir vor Freude, sie so glücklich zu sehen, von meinem Vater ganz zu schweigen! Aber zu meiner völligen Überraschung war mein Vater gar nicht glücklich über unser Wiedersehen! Er schaute mich an und fragte mich ganz erstaunt: »Was willst du denn hier? Das geht aber nicht!« Ich weiß sogar noch, dass ich daraufhin gesagt habe: »Ich würde sehr gerne bei euch bleiben, aber ich habe einen Sohn, der mich braucht und Mama würde durchdrehen!« Er sagte nur: »Ich weiß, ich weiß!« Irgendwie hatte ich das Gefühl, dass er mir sagen wollte: »Du bist zu früh, deine Zeit ist noch nicht gekommen!« Und je mehr ich darüber nachdenke, bin ich mir sogar ziemlich sicher, dass es genau so war. Mein Vater hat mich schlicht und einfach zurückgeschickt. Angesichts der Tatsache, dass er für meinen Geschmack auch viel zu früh von uns gegangen war, macht das sogar noch mehr Sinn. Jedenfalls fühle ich das so, lieber Papa. Und für alle, die sich fragen, warum die Gabriele Köster so eine verrückte Krawallschachtel ist, kommt jetzt mal eine sehr wichtige Antwort: wegen meinem Papa! Ich glaube, es wird mal Zeit, dass ich mal was von meinem Papa erzähle, denn er ist ein sehr wichtiger Teil in meinem Lebenspuzzle.

Mein Papa war das, was man sich gemeinhin unter

einem Lebens-Künstler so vorstellt: sehr liebevoll und einfallsreich, aber vor allem auch ziemlich chaotisch und mehr am Feiern interessiert als an geregelter Arbeit als Versicherungsvertreter. Natürlich zum Leidwesen meiner Mutter, die immer gucken musste, wie es mit uns finanziell weiterging. MEINE MUM IST EINE SEHR TAPFERE UND HOCHANSTÄNDIGE FRAU, DAS WILL ICH HIER MAL MIT ALLER DEUTLICHKEIT SCHWARZ AUF WEISS UND FÜR JEDEN DEUTLICH LESBAR GROSS SCHREIBEN! Sie hat ihr ganzes Leben lang malocht wie keine Zweite und war fast immer nur damit beschäftigt, den Unfug auszubügeln, den mein verrückter Vater verzapft hatte. Ich will meinen Papa jetzt nicht in die Pfanne hauen, ich glaube wirklich, er konnte nicht anders, wenn Sie wissen, was ich meine! Es war ihm anders einfach nicht gegeben, darum können die Mum und ich auf unsere Zeit mit ihm zurückblicken, ohne Verbitterung oder Verärgerung.

Mein Vater war für ein verantwortungsvolles Leben so gut geeignet wie Streusalz für eine Bobbahn! Er hat halt gerne ausgiebigst und gut gefeiert und es dabei meistens richtig ordentlich krachen lassen! Meine Mutter erzählte mir mal, dass sie kurz nach meiner Geburt beim Einkaufen von Nachbarn angesprochen wurde, dass ich ja mal viel Glück im Leben haben müsste, so wie mein Vater meine Geburt begossen und gefeiert hätte! Und so stellte sich dann heraus, dass mein Vater das Babypinkeln praktisch als eine Art Niagarafall-Happening gestaltet hatte und der ganze feuchte Spass nunmehr vor siebenundvierzig Jahren stolze 3000,– DM gekostet hatte! Wenn es nicht so verdammt doof klingen würde, dann müsste ich jetzt eigentlich schreiben (weil es so wahr ist): Das war damals sehr, sehr viel Geld!

Glück im Leben hatte und habe ich sicherlich reichlich gehabt, aber vor allen Dingen auch viel Arbeit, liebe Freunde des Zwiebelportemonnaies. Denn selbiges aufmachen und heulen angesichts der gähnenden Leere, war mir nur allzu gut bekannt. Vielleicht musste mein Papa auch so intensiv leben, weil er im Inneren gewusst hatte, dass er nicht alt werden würde! Mit 49 Jahren ist er schließlich gestorben, und was mich heute trotz allem beruhigt, ist die Tatsache, dass er nix hat anbrennen lassen und wahrscheinlich mehr und heftiger gelebt hatte als andere Menschen in drei Leben.

Für uns als Familie war es wirklich sehr anstrengend, und man könnte viele seiner verrückten, egoistischen Eskapaden auch weitaus weniger wohlwollend betrachten, als ich das jetzt tue, aber auf der anderen Seite muss man sich auch darüber im Klaren sein, dass jedes Messer sowieso zwei Schneiden hat. Der Tod meines Vaters hat mich jedenfalls ganz schön schwer erwischt: Ich war richtig sauer. Ich weiß noch, dass ich abermalsorichtig drissdrecksdrisselig stocksauer gewesen bin und nur gedacht habe: Warum haust du jetzt einfach ab, Papa, und wir dürfen uns in dem ganzen Chaos mal wieder schön alleine durchschlagen?

Natürlich haben die Mum und ich das geschafft, und wie alles in diesem einzigartig schrägen Leben wird auch das seinen Sinn gehabt haben, da bin ich mir auch ziemlich sicher. Und so gucken wir heute ganz oft zurück und erinnern uns an unseren verrückten Papa.

Mein Papa war unglaublich kreativ, und wir hatten früher nicht gerade goldene Wasserhähne zu Hause, aber als

Kind hat man ja trotzdem manchmal Wünsche ... In meiner Kindheit waren plötzlich Puppenschulen sehr »in«! Ich hätte auch rasend gerne eine gehabt, ging aber natürlich nicht – mangels finanzieller Masse. Da hat mir der Papa kurzerhand an einem trüben Sonntagmorgen eine komplette Puppenschule aus Pappe gebastelt! Und das Schönste war für mich, dass es in meiner Puppenschule nur lachende Kinder gab, die er auf die Pappe gemalt hatte. Ich hatte sogar einen Fernseher auch aus Pappe und – aus Butterbrotpapier! Darauf hat er Gesichter und Szenen aufgemalt und das bemalte Papier dann auf eine große Papprolle aufgerollt. Wenn man jetzt oben an der Rolle drehte, liefen die Bilder wie ein kleiner Film ab, und so gab es bei uns regelrechte Veranstaltungen zu Hause! Mein Papa sprach sämtliche Rollen selber: Ob Lassie, Bonanza oder die Tagesshow mit Nachrichten und anschließendem Wetterbericht – war alles da, kein Problem! Mein Pappfernseher stand auf dem Küchentisch, mein Papa dahinter und wir Kinder saßen völlig gebannt und fasziniert davor und jubelten! Das war sehr gemütlich und unendlich schön. Anleitungen brauchte er nicht, er hat sich einfach alles selber ausgedacht und beim Spielen praktisch aus dem Finger gesogen, völlig spontan und ganz offensichtlich ohne Not, denn ich kann mich nicht erinnern, dass er einmal nicht gewusst hätte, wie es weiterging oder gar gestottert hätte! Als Luftikus und Schwerenöter war der gute Paps eben nie um eine gute Ausrede verlegen, nicht mal beim Kochen! Wenn er zu viel Pfeffer in das Essen getan hatte, dann war das erst mal kein Unglück und zweitens auf keinen Fall zu scharf, sondern äußerst gesund! Denn gerade im Winter wäre es sogar sehr gesund, denn scharfes Essen wärmte ja schließlich von innen! Unvergessen ist der Mum und mir auch noch die Story, bei der er eine sehr scharfe grüne Peperoni zubereitet hatte und sie uns schon hustend und spotzend als neue Bohnensorte verkaufen wollte.

Papa hatte wirklich die tollsten Einfälle, aber auch leider nicht immer das richtige Zeitgefühl für seine Ideen. Oder was würden Sie sagen, wenn Sie nachts um drei geweckt werden würden, nur weil der Herr Vater ein Blech Pflaumenkuchen gebacken hat? Wobei das ja noch die harmlose Variante der nächtlichen Ruhestörung gewesen war, denn einmal kam er des Nächtens nach Hause und veranstaltete mit seinen Kumpels im Treppenhaus erst mal ein Platzkonzert mit Trommeln und Trompeten. Sehr praktisch, denn so wussten nicht nur wir, dass Papa wieder gut zu Hause angekommen war, sondern auch die komplette Nachbarschaft im Viertel!

Dann konnte es auch passieren, dass morgens um sechs Uhr zwanzig Leute um mein Bett rumstanden und fragten: »Wat is jetzt? Frühstück mal langsam?« Gott sei Dank war ich da schon 15 und ließ die Schule einfach sausen, da ein Frühstück mit Papa und seinen pikloppten Kumpanen wesentlich mehr zum Lachen hergab als Mathematik und Erdkunde! Die Herrschaften und ich hatten Spaß wie ein Schnitzel, nur die Mum war not amused. Was ich natürlich heutzutage in meiner Eigenschaft als Mutter bestens nachvollziehen kann ...!

Mein Vater war einfach ein verrückter Hund, und neben dem ganzen Mist, den er verzapft hat, gab es auch immer wieder diese unvergesslich schönen Momente. Zum Beispiel Weihnachten!

Wir wohnten früher in einem Mietshaus, das einen riesigen Innenhof hatte, in dem wir als Kinder immer gespielt haben. Jeden Heiligabend spielte mein Vater nachts mit der Tompete Weihnachtslieder in diesem Innenhof, ganz ohne Technik und Verstärkung. Das war so toll, dieser Sound der Trompete in diesem riesigen Innenhof, dass mir noch heute zwanzig Ameisenarmeen über die Pelle laufen, wenn ich nur dran denke!

Ich weiß nur eins: Wenn ich heute so darüber nachdenke, woher dieser ganze Wahnsinn in mir kommt, dann muss ich nicht lange nachdenken, von wem ich das habe! Das Schauspielern habe ich im Blut! Als in unserem Mietshaus zum Beispiel die Kohleöfen abgeschafft wurden und eine Zentralheizung eingebaut wurde, hatte mein Papa die Idee, eine Hausparty im Keller zu machen und »dä letzte Klütte« (das letzte Brikett) zu beerdigen! Schnell schrieb er ein Stück, welches wir dann also im Keller und »Partyraum« aufführten. Ich hatte gleich eine Doppelrolle bekommen und spielte einen Messdiener und den selbstverständlich auch eingeladenen und anwesenden Bürgermeister!

Das Grab für die Klütte war ein typischer Kellergulli, und mein Papa ließ sich in seiner Rolle als Priester natürlich standesgemäß mit einer Schubkarre ans Grab fahren, um dort seine ergreifende Trauerrede zu halten. Wir hatten alle einen Mordsspaß, du hättest uns das Lachen nicht aus dem Gesicht kloppen können!

Wenn meinem Vater spontan was einfiel, dann fackelte er nicht lange und machte es einfach. Das fand ich immer so megacool, wie man heute so gerne sagt! Aber genau das war es: megacool!

Straßenbahnfahren mit Papa konnte zum Beispiel auch

sehr lustig sein, wenn er plötzlich aufstand, um die Fahrkarten zu kontrollieren. Und wenn einer keine hatte, dann war das nicht so schlimm, der durfte zwar weiterfahren, aber er musste natürlich irgendwas machen – ein Lied singen, durch den ganzen Bahnwagen tanzen, laut einen Witz erzählen oder einer alten Frau die Einkaufstüten nach Hause schleppen. Quasi die Fahrkarte abarbeiten statt Strafe zahlen … eine gute Lösung, wie ich finde! Meine Mutter sagt immer, wenn wir über Papa sprechen: »Dä Köster, dat wohr eine!« Der Köster, das war einer!

Bei meinen Schulkollegen ging natürlich eine ganz andere Geschichte ab. Da war alles schön normal und nicht so eine Freakshow wie bei uns zu Hause! Da gab es abends Hagebuttentee mit Bütterchen, alles schön gesittet und auf keinen Fall laut und chaotisch! Das hat mich immer sehr nervös gemacht, denn bei uns war ja immer HullyGully, wir haben eben nachts Pflaumenkuchen gegessen oder auf dem Ofen Kastanien gebraten und Mandarinenschalen im Ofen verkokelt, weil das immer so lecker gerochen hat. Und wenn es schön warm war und lecker gerochen hat, dann war es auch immer so schön muckelig und gemütlich gewesen! Ich weiß, dass der eine oder andere jetzt denkt, dass mein Vater verrückt war und meine arme Mutter sich krumm geschuftet hat, um uns durchzubringen und auf Kurs zu halten, aber so einfach ist das nicht. Ich wäre ohne meine Eltern – mit allen ihren positiven und weniger guten Eigenschaften – nie die geworden, die ich heute bin! Also danke ich meinen Eltern für den Wahnsinn und die Liebe im ganzen Chaos. Ich jedenfalls habe viel fürs Leben gelernt, und darum geht es letztendlich: dass man was fürs Leben lernt. Allzu oft stelle ich leider fest, dass gerade die

Leute, die in der Schule alles so fein gelernt haben, leider nicht mit dem Leben da draußen zurechtkommen. Für das Leben braucht man eben auch den Wahnsinn und den Spaß, sonst ist es doch zu öde, oder? Wenn ich also über mein Leben nachdenke und darüber, warum ich so bin wie ich bin, dann denke ich oft an meinen Vater, meine Mutter und den alten Spruch: Das erklärt vieles, aber nicht alles!

Nix Wiedergeburt, Vertrag verlängert!

Ich weiß nicht, wie so etwas zustande kommt, aber ich vermute mal sehr schwer, dass sich wahrscheinlich mein Unterbewusstsein mir zuliebe wenigstens ein paar nette Filmchen während der langweiligen Komaphase ausgedacht hat! Und da ist es natürlich nur logisch, ein paar Filme zu zeigen, die ich noch nicht kannte!

Sehr gefallen hat mir zum Beispiel der Winterurlaubsfilm! Ich war nach dem Aufwachen aus dem Koma der festen Überzeugung, dass ich in den Winterferien mit der gesamten Familie – einschließlich meines Cousins Gerd, seiner Frau Renate und meiner Tante Käthe – auf Tobago gewesen bin. Dort – auf Tobago – war ich auch in einem Krankenhaus gewesen und hatte im Treppenhaus eine Kippe geraucht. Cousin Gerd und sein Kumpel Frank Hocker mussten wohl auch dort gewesen sein, denn ich hatte ihre Stimmen gehört! Komisch das alles und sehr faszinierend, was sich selbst in einem vom Schlaganfall halb abgerauchten Hirn noch so abspielt, mein lieber Kroschengel! Als ich diese Geschichten der Mum oder meiner Freundin Uschi erzählt habe, haben die sich natürlich köstlich amüsiert! Rauchen auf Tobago im Krankenhaus mit Gerd ... jasichaaaaa, dat is' klar! Das erschien ihnen natürlich so realistisch wie ein neckisch tanzender Kardinal Meisner im Netzhemd auf'm Christopher Street Day in Köln! Aber für mich war das alles so wahr, und dementsprechend konnte ich das Amüsement über meine »Erlebnisse« oft nicht wirklich teilen! Für mich war es eben schockierender, was in der drisseligen Realität passiert war! Für mich war es so unglaublich, aus dem Koma zu erwachen und festzustellen, dass nichts mehr so war, wie ich es in Erinnerung hatte oder glaubte, es erlebt zu haben!

Nachdem man mich langsam, so etwa eine Woche lang, aus dem Koma aufwachen ließ, wurde ich ja praktisch mit in meinen Augen absurden Fragen bombardiert! Ich kann mich an ein kurzes »Erwachen« erinnern, wo ich meine allerliebstbeste Freundin Uschi und meine Mutter über mir erblickte. Die gute Uschi fragte mich: »Erkennst du uns? Weißt du, wer wir sind?« Ich konnte da leider noch nicht sprechen, weil ich zu diesem Zeitpunkt noch eine Trachialkanüle im Hals hatte, aber ich dachte nur: Natürlich weiß ich, wer ihr seid! Sach mal, habt ihr eigentlich Schimmel an der Hirnpanade oder was ist hier los? Ich versuchte, mit den Augen zu rollen, fand alles so unfassbar verrückt und konnte alles nicht glauben!

Genau das Gleiche erlebte ich dann auch mit dem Arzt, der mich fragte: »Wissen Sie, warum Sie hier sind?« Allerdings konnte ich da wenigstens schon wieder sprechen und ich antwortete: »Es ist ja nicht so, dass ich, bevor ich in ein Krankenhaus gehen würde, erst mal im Internet googlen würde, welches denn im Moment die angesagtesten Krankheiten wären!« Daraufhin sagte dieser Arzt – ziemlich unbeeindruckt von meiner Antwort –, dass ich einen schweren Schlaganfall erlitten hatte! Ich dachte: Was geht denn jetzt ab? Hat Weißkittelchen zuviel Sagrotan geschnüffelt? Ist Dr. Mabuse unter die Märchenerzähler gegangen? Sind die alle pikloppt hier? Wie jetzt Schlaganfall? Das kriegen doch nur alte Menschen, neunzigjährige Nachbarn oder senile Omis!?!? Ich konnte es nicht fassen! Ich war doch höchstens ein bisschen unglücklich hingefallen! Was labern die denn alle hier?

Und so musste ich leider sehr schmerzlich Schritt für Schritt selber nachvollziehen, was mit mir und meinem Körper geschehen war. Sehr deprimierend, das! Eines Tages kam mich der Professor besuchen, der mich am Anfang in der Akutklinik behandelt hatte. Ich habe von ihm noch mal und sehr detailliert viele Sachen erfahren, die mir so richtig nicht klar waren. Ich habe sehr lange in akuter Lebensgefahr geschwebt, und es war völlig unklar gewesen, ob ich überhaupt durchkommen würde! Die Ärzte hatten wohl einmal bei Schichtwechsel an meinem Bett gesessen und auf mein Leben keinen Pfifferling mehr gegeben! Ich denke, dass ich schon ziemlich weit weg gewesen war, sonst hätte ich bestimmt nicht meinen Papa gesehen. Aber die da oben haben sich bestimmt gesagt: »Nix Wiedergeburt, so 'ne verrückte Schachtel wie dich reicht einmal! Du machst erst mal auf dem Planeten schön weiter, dein Vertrag wird einfach verlängert!!!« Schon klar, lieber Herr Gott! Und was das »einfach« betrifft … sieht eher nicht so aus, als ob in Zukunft irgendetwas besonders einfach gehen würde. Weiß Gott nicht!

Eine Therapeutin fragte mich eines Tages, ob ich mich nach der Operation schon mal im Spiegel gesehen hätte. Ich sagte nein. Ich hatte zwar schon mit der Hand mein rappelkurzes Haar befühlt, aber wie ich nach dem ganzen

Driss im gesamten Gesicht aussehen würde, war mir nicht klar. Die Frage hatte sich mir auch gar nicht aufgedrängt, um ehrlich zu sein! Was natürlich so auch nicht stimmt. Ich hatte diesen Aspekt einfach komplett verdrängt. Ignoriert. Wie ein kleines Kind im kalten Wasser die Kälte ignoriert, weil es so begeistert beim Planschen ist. Weil es davon gar nicht genug bekommen kann und es Angst hat, dass es so schnell nicht wieder dazukommen wird, so unbeschwert zu toben. Mein Gott, wie oft habe ich das bei meinem Sohn damals bewundert: Wie er mit frostblauen Lippen im Wasser wie ein Hündchen paddelte und vor Kälte schon mit dem Kiefer im Rhythmus mitklapperte. Und dann habe ich als gute Mutter wie tausend andere gute Mütter natürlich gerufen: »Donald, jetzt kommst du aber raus da, du klapperst ja schon vor Kälte so laut wie ein Skelett im Würfelbecher!« Worauf der kleine Mann natürlich wie tausend andere Kinder prompt folgende Platte abspielte: »Mi-mmi-mmimir ist aber gar nicht kalt! Gar nicht überhaupt jawohl nicht!« Ja, ne, is klar! Das Wasser hat die Lippen blau gefärbt, natürlich. Gott, ist die Mami wieder dumm! Kalt! So ein Quitschiquatschi. Alles klar, oder? So sind Kinder. Wir müssen sie als Eltern davor schützen, zu lange im Wasser zu bleiben. Nicht bei Kälte ohne Jacke loszugehen. Nicht drei Eisbecher hintereinander wegzuschlabbern. Nicht weil sie irgendwie nicht selber ahnen, dass das vielleicht doch keine gute Idee wäre. Es ist eher die Vernunft, die fehlt. Die ignoriert wird. Der Verstand, die Ratio siegt einfach noch zu selten über die Lust, die Unvernunft oder die Ignoranz.

Und genauso war es auch bei mir. Was mein Aussehen nach all den Operationen am Kopf betraf, habe ich einfach nach der Devise behandelt: Was ich nicht weiß, macht mich nicht heiß. Obwohl mir meine Fingerspitzen beim Befühlen meiner Kopfhaut natürlich eine ganz andere Botschaft übermittelt hatten. Nicht zu vergessen: meine Angst. Meine große Angst vor einem Bild, das mir nicht gefallen würde, ich aber leider auch nicht umtauschen könnte. Ich müsste es akzeptieren. Und diesen ganzen dämlichen Schlaganfall und die damit verbundenen Konsequenzen zu akzeptieren, war sowieso ein einziger Albtraum – ohne Hoffnung auf Licht am Ende des Tunnels. Oder sagen wir es mal lieber so: Das Licht am Ende des Tunnels war in meinen Augen eher ein Zug, der mir entgegenkam. Diesem latenten Horrortrip wollte ich wohl weder bewusst noch unbewusst weiteres Futter geben. Allerdings waren jetzt aber mal leider auch die schlafenden Hunde geweckt worden, und ihr ohrenbetäubendes Bellen in meinem geplagten Schädel ließ mich immer vehementer ahnen, dass da nix Gutes im Anmarsch war. »Nix Gutes« war wohl auch eher noch sehr untertrieben. Ich empfand dumpfes Unbehagen – oder um es salopp zu formulieren: Das roch nach Scheiße mit Ansage! Aber da war die Titanic schon auf Eisbergkollisionskurs und Leo DiCaprio mental schon ein Eisblock auf der Tür. Klartext: Die Sache war nicht mehr zu stoppen. Noch ehe ich sämtliche Ausweichmanöver im kaputten Hirn durchgespielt hatte, waren die Würfel schon gefallen. Alea iacta est, wie der moderne Lateiner sagt! Und ehe ich mich versah, fuhr die gute Frau mich mit dem Rollstuhl ins Badezimmer, damit ich mich mal im Spiegel angucken konnte. Wenn es nicht so verdammt beschissen deprimierend gewesen wäre, hätte ich diesen Anblick mit ordentlich Alkohol und im Spiegelkabinett einer Jahrmarktsbude vielleicht sogar lustig gefunden: Fast Glatze, der Kopf noch etwas geschwollen und die rechte Schläfe wegen der fehlenden Schädelplatte irgendwie komisch eingeknickt … Das bin nicht wirklich ich, dachte ich fassungslos. Blanker Horror, nacktes Entsetzen. Wo war »ich« bloß geblieben? Und wer war diese Frankensteinbraut da im Spiegel? Ich war so entsetzt und … und irgendwie … ich kann es nicht anders beschreiben … so erschrocken und gedemütigt. Am Boden zerstört. Alles hatte dieser verfluchte Schlaganfall mir genommen. Die Macht über meinen Körper, meine Selbständigkeit. Meinen Stolz. Mein bisheriges Leben. Und jetzt auch noch meine Würde. Ich sah aus wie ein Freak. Und nicht wie eine hübsche Frau. Ich fühlte mich erniedrigend und unendlich traurig. Wehrlos und zutiefst verletzt. Als wenn ich meine Identität verloren hätte. Schnell die Alarmklingel! »Bitte, Schwester – kommen Sie schnell! Da ist ein fremder Mensch in meinem Spiegel und behauptet, er wäre ich.«

Von wegen. Leider war es schnöde Wirklichkeit. Und trotzdem kam es mir Minuten später gleichzeitig aber auch wieder so komplett unwirklich vor! Da kam ich mir eher so vor wie in einem schlechten amerikanischen Krimi: »Okay, Frau Köster. Wir nehmen Sie in unser Zeugenschutzprogramm auf und besorgen Ihnen eine neue Identität, Schätzchen!« Ne, komm … vergiss es! Hustekuchen, auf Kies gefurzt. Das war schon echt ein harter Schluck aus der Pulle! Und nicht nur für mich, auch für meine Besucher.

Das war anfangs sehr irritierend mit dem Besuch, denn die Menschen sahen mich oft mit einer Mischung aus Entsetzen, Mitleid und Faszination an und hatten dann oft Tränen in den Augen. Ganz am Anfang, also direkt nach dem Koma habe ich das nicht so gut verstanden, weil ich ja nicht wusste, was eigentlich passiert war und wie sehr ich in Lebensgefahr schwebte! Und dass ich nicht gerade strahlend schön wie Barbie zurechtgemacht und mit teurer Udo-Walz-Frisur im Krankenbett lag, hatte sich mir auch nicht direkt erschlossen bis zum erwähnten Spiegelbesuch. Nun konnte ich endlich die Unsicherheit in manchen Besucheraugen verstehen.

Mein lieber Freund Till besuchte mich Ende März mit seiner Frau Claudia und seiner knapp dreijährigen Tochter Zita. Natürlich kannte Zita mich von meinen häufigen Besuchen und hatte mich das letzte Mal circa drei Wochen vor dem Schlaganfall gesehen. Aber ich sah ja jetzt eher aus, als ob Rocky statt auf gefrorenen Schweinehälften mit meinem Gesicht weiter trainiert hätte! Nicht nur Till und Claudi, auch ich hatte großen Bammel vor der Reaktion der Kleinen. Würde sie schreiend aus dem Zimmer rennen? Heulen? Angst bekommen? Als die Drei dann endlich nach der Begrüßung an meinem Bett saßen und wir Erwachsenen uns ein bisschen unterhielten, beobachtete Zita mich ausgiebig und still. Das beunruhigte wahrscheinlich die Eltern noch mehr, da die Kleine an sich ein sehr lebhaftes und quirliges Kind ist. Irgendwann fragte sie leise, aber für alle hörbar, ihre Mutter Claudia: »Ist das die Gaby?« Ich sagte: »Ja, kleiner Schatz, ich bin die Gaby! Du erkennst mich nicht wieder, ne? Wie denn auch, ich erkenne mich ja selber nicht mehr wieder!« Das war echt ein sehr emotionaler Moment, und wir hatten alle Tränen in den Augen. Zita war jedoch mit meiner Aussage zufrieden und beschloss, mit mir ganz normal zu reden, bei mir aufs Bett zu klettern und den Besuch zu genießen – nicht zuletzt auch wegen der leckeren Süßigkeiten, die ich ihr zuschob!

Tills Tochter ist wirklich ein sehr aufgewecktes, kleines Mädchen, und sie hat mir auf diese ehrliche, unverdorbene Kinderart sehr viel Mut gemacht. Zum einen mir einfach einzugestehen, wie fremd ich mir selber war, und zum anderen zeigte ihre Reaktion aber auch, dass es keinen Grund gab, nur wegen meiner verbeulten Gesichtsbaracke so einen Aufstand zu machen! Ich habe fast ein Jahr später einen Film von der kleinen Zita gesehen, wie sie mit aller Ernsthaftigkeit und dem reinen Herzen eines Kindes Gott in ihrem Nachtgebet bittet, mich wieder gesund zu machen. Das hatte sich so bei ihr als Ritual eingebürgert, seitdem Till mit ihr in der Kirche gewesen war, um Kerzen für mich anzuzünden und zu beten. Till hatte sogar ein richtig schlechtes Gewissen, sie dabei zu filmen, aber er wollte mir unbedingt diesen Film zeigen, falls mir mal der Überlebenswille abhandengekommen wäre. Er ist mir nicht abhandengekommen – auch wenn er manchmal nur auf Sparflamme kocht –, aber dieses kleine Menschenkind für mich beten zu sehen, hat mich tief berührt und mein olles Narbenherz enorm gewärmt.

Gefangen in der Gefühlsachterbahn

Nach diesem Schicksalsschlaganfall war ich ja sowieso stets in einer Art Gefühlsoverload-Modus. Himmelhochjauchzend oder zu Tode betrübt. Und permanent im Wechselbad der Gefühle. Mal war ich sagenhaft berauscht vor Glück: »Oh wie schön, ich habe überlebt!« Und dann kam sofort der brutale Nackenschlag: »Scheiße, ich bin ein behindertes Wrack!« So wurde ich von meiner eigenen Gefühlsachterbahn hin- und hergerissen. Ohne Unterbrechung, nonstop. Ich hatte ja genug Zeit im Krankenhaus. Alles habe ich im Zweifeln erlebt. Wenn ich versucht habe, Dinge und Erlebnisse aus der Vergangenheit zu rekonstruieren, habe ich mir immer die bange Frage gestellt: Habe ich wichtige Sachen vergessenen? Stimmt das denn jetzt so? Hat der Anfall alles durcheinandergebracht? Teile komplett von meiner Hirnfestplatte gelöscht? Bin ich ein körperliches Wrack mit dem Arbeitsspeicher eines Teletubbies? Was kommt da eigentlich noch fürn Driss auf mich zu? Wovon werde ich leben, wie werde ich leben, was ist mit meinem Beruf, wie soll ich Geld verdienen, was wird denn bloß aus mir und meiner Familie?

Ist ja auch klar: Da kommen sie alle an dein Bett, Familie, Freunde und Bekannte. Und sie weinen und erzählen dir, was du für ein Glück gehabt hast. Weil du ja noch lebst. Aber wie ich lebe, und ob ich darüber glücklich bin, dass ich so leben muss, steht auf einem ganz anderen Blatt. Auf meinem nämlich. Ich weiß, dass bei mir eine Menge Schutzengel Überstunden gemacht haben. Es ist mir völlig klar, dass viele andere Menschen so einen schweren Schlaganfall (oder amtlich beglaubigt ausgedrückt: Mediteritorialinfarkt rechtsseitig, also »de schäl sick«) nicht überlebt haben oder zum Teil nur als schwerste Pflegefälle ohne jegliche Lebensqualität. Trotzdem kann ich mich nicht immer von dem Gedanken befreien, dass ich mir so oft wünsche, dass dieser verfluchte, drecksdrisselige Anfall besser nie passiert wäre. Manchmal fühle ich mich gefangen in dieser Gefühlsachterbahn zwischen Dankbarkeit und Verzweiflung. Und wer das nicht verstehen will, dem sage ich es ganz deutlich, für alle Schönsülzer zum Mitschreiben: Try walking in my shoes! Oder auf gut DEUTSCH: Wer will in meinen Schuhen laufen? Ich ganz alleine muss in erster Linie damit fertig werden, dass ich nicht mehr die bin, die ich mal war. Dass ich zum Teil einfach keine Entscheidungsgewalt mehr über meinen Körper habe, egal, wie sehr ich mich auch bemühe. Dass ich in vielen Situationen so hilflos bin, ist eine demütigende Erfahrung. Jeder Mensch versteht unter Lebensqualität etwas anderes, und ich lasse mir von niemandem – nicht mal von mir selber! – einreden, dass meine körperlichen Behinderungen durch den Schlaganfall eine Art Bagatellschaden sind, über den ich großzügig hinweglachen kann, weil ich ja sowieso so ein lustiger Mensch bin! Ich kann nur jedem empfehlen: Einfach mal einen Arm und ein Bein »unbeweglich machen« und den Rest des Tages im Rollstuhl verbringen. Am besten ohne Vorbereitung, denn ich hatte auch keine Zeit, mich auf diesen Schlamassel vorzubereiten. Ich wurde genauso überrascht wie Josef von den Heiligen Geist-Hörnern, die Maria ihm aufgesetzt hatte. Entschuldigung, aber ich hatte mich die letzten 40 Jahre selber gewaschen, und fand diesen Zustand eigentlich auch nicht sonderlich änderungsbedürftig! Ich konnte sogar meine Geschäfte selber erledigen! Was würden Sie denn denken, wenn Sie auf einmal auf der Bettpfanne sitzen und darauf warten müssen, dass Schwester Kathy Sie wieder fein saubermacht? Und dann registrierte ich, dass auf dem Namensschild der Schwester ja auch ihr Beruf steht: Altenpflegerin! Ich dachte nur: Oho, aha, so ist das also! Jetzt ist es soweit!

Und das ist ja nur ein Aspekt von vielen! Es geht noch viel simpler! Am Anfang, nach dem Koma habe ich Leuten oft stolz erzählt, dass ich heute schon zwei Stunden alleine »geatmet« hätte! Jaja. Wenn man so gesund vor sich hinlebt, schenkt man dem eigentlich schon ziemlich lebensnotwendigen Atmen nur wenig Beachtung. Es funktioniert ja einfach. Doof ist nur (gerade beim Atmen), wenn es nicht mehr funktioniert! In solchen Augenblicken wurde mir mehr als nur deutlich bewusst, dass nichts mehr so war, wie es mal war, und dass es auch nie mehr wieder so werden wird, wie es mal war.

Da soll man keine Depressionen bekommen? Leider ist einem gesunden, normalen Menschen auch gar nicht klar, wie wenig behindertengerecht deutsche Städte sind. Es gibt immer noch unzählige Einkaufszentren ohne elektrische Türöffner, an denen ich ohne Hilfe scheitern würde. Will man keine Rollstuhlfahrer in diesen Einrichtungen? Brauchen die unser Geld nicht? Gibt es eigentlich mehr hohe Bürgersteigkanten als niedrige, und wenn ja, warum? Wie sollte denn um Himmels willen der Alltag nach meiner Entlassung aussehen? Wie sollte ich den denn ohne Hilfe meistern? Tausend Fragen, tausend Ängste und nur wenig ruhiges Fahrwasser. Wenn Sie jetzt zu Recht denken: Mein Gott, die Köster kommt ja von Hölzken auf Stöckchen, und brettert zusammenhanglos von einem Thema ins nächste – ich werde noch verrückt beim Lesen … ja, dann kriegen Sie vielleicht eine leise Ahnung von dem Chaos, das damals oft wie ein besoffener Tsunami durch mein verwüstetes Hirn bretterte. Holen Sie sich mal ’nen Kaffee und machen fünf Minuten Pause. Ich muss auch eben mal durchlüften!

Reggae in der Rehaklinik

In der Klinik habe ich oft – weil ja auch nichts anderes ging – Musik gehört und versucht, die Gedanken in meinem kaputten Hirn wieder ordentlich einzusortieren. Dabei bin ich auf ein Lied gestoßen, das einen wunderbaren Text hat und voller Klugheit ist. Manchmal habe ich dieses Lied immer und immer wieder gehört und mich gefragt, ob dieser Mann das Lied für mich geschrieben hat. Weil es wie die berühmte Faust aufs Auge, auf meine Situation passte. Geradezu gespenstisch gut passte: »Never gonna be the same« von Sean Paul. Da singt der gute Mann im Refrain:

> Say when mi look up ina mi life its plain to see.
> That its never gonna be the same.
> Take another step on towards my destiny.
> But the memories still remain.
> Deep ina mi brain inna mi soul I hold the key.
> Said its never gonna be the same.

Wie wahr: »Wenn ich mein Leben betrachte, wird es nie wieder dasselbe sein. Ein weiterer Schritt in meine Bestimmung, aber die Erinnerungen werden bleiben. Tief in meinem Hirn, in meiner Seele halte ich den Schlüssel zu der

Erkenntnis, die mir sagt, dass es niemals wieder so sein wird.«

Wie einfach doch die Wahrheit sein kann. Ein paar weise Zeilen in einem kleinen, netten Reggaesong. Drei Minuten und 'n paar Zerquetschte lang! Never gonna be the same! Das war mir schon klar, dass mein Leben nicht mehr so sein würde, wie es mal war. Das Blöde ist nur, dass ich auch leider nicht weiß, wie es denn sein würde. Was würde sich ändern? Alles? Wie scheiße ist das denn? »Wenn dem so ist«, hörte ich meinen Schweinehund sagen, »habe ich aber mal gar keinen Bock drauf! Nö, komm! Nicht ›ALLES‹! Kinder, das muss ja wohl nicht sein, oder? Kleiner Kompromiss zur Güte – ich lege mich ein paar Wochen hierhin, und dann ist es auch gut, ne? Dann werde ich hier wieder rausgehen, und alles ist wieder im Lack!« Und da musste ich meinem Schweinehund leider Recht geben. Ich habe wirklich oft gedacht: Rollstuhl und so n' Mist braucht doch kein Mensch. Ich mache Stand-up-Comedy, wie stellt ihr euch das vor? Soll ich mit dem Rolli auf die Bühne fahren?

Ich war immer jemand, für den eine physische Präsenz ganz wichtig in der Gestaltung eines Programms war. Aber gegen mich ist ja selbst Käpt'n Ahab noch der reinste Zappelphilipp! Selbst 'ne Weinbergschnecke hat mehr Elan als ich. Es ist wirklich wahnsinnig schwer, das Gute zu finden in meiner Situation. Weil ich schlicht und einfach Angst vor der Zukunft habe. Es ist kein Land in Sicht, aber jede Menge »Land unter« um mich herum. Werde ich je wieder laufen können? Werde ich je wieder meinen Arm bewegen können? Meine Finger? Wird mein Gehirn sich von dem Schlag erholen? Werde ich jemals wieder meine geliebte Unabhängigkeit erlangen? Die Kontrolle über meinen Körper zurückbekommen? Was ist, wenn die Mum stirbt und Donald mich verlässt, um sein eigenes Leben zu leben? Was wird aus mir? Komm ich in ein Heim? Wie soll ich überhaupt Geld verdienen? Müssen wir dann Haus und Hof verkaufen? Werde ich einen Rückfall kriegen? Einen noch schlimmeren Schlaganfall, der aus mir einen dahinvegetierenden Sabberlappen an Schläuchen macht? Wer kann mir garantieren, dass ich nicht alleine in einem Heim verschimmeln werde? Ach so, richtig! Think positive, Gaby! Genau! Sei nicht immer so negativ. Du musst auch mal die andere Seite des Schwertes sehen. Ying und Yang! Schatten und Licht! Sei doch nicht immer so ein fürchterlicher Schwarzmaler, Frau Köster! Von wegen armer King Kong! Freu dich doch lieber, du Affe, dass du kurz vorm Abnippeln noch mal auf so ein schönes Gebäude wie das Empire State Building geklettert bist und mit ein paar Flugzeugen spielen durftest! So wird doch auch ein Schuh draus.

Jaja. Es gibt tausend gute Gründe, sich über dieses Leben auch zu freuen. Schade nur, dass einem manchmal keiner einfällt. Schwierige Sache, das. Vor allem, wenn man immer wieder einen Song hört, der sich nicht aus dem Kopf kloppen lässt: »Never gonna be the same.«

Und so kam es, wie es in meinem Fall wohl auch erst mal kommen musste: Am Anfang war das Leben im Krankenhaus wirklich sehr deprimierend. Ich hasste am meisten die Hilflosigkeit, dass ich im wahrsten Sinne für jeden Scheiß fragen musste! Nicht nur, dass man seine Intimsphäre schon praktisch mit dem Einstieg in den Notarztwagen de facto abgegeben hat – man kann am Anfang auch gar nicht glauben, was einem so alles Peinliches zustoßen kann. Ich habe mal nachts nach einer Schwester geklingelt, weil ich Pippi machen musste. Ich habe sechs Stunden gewartet und »ich hab sie alle gezählt und verflucht« (Vielen Dank an Rio Reiser für diese tolle Beschreibung!) Am Ende habe ich natürlich voller Verzweiflung alternativlos ins Bett gepinkelt. Wobei man wahrscheinlich der Schwester noch nicht mal einen Vorwurf machen kann, denn nur *eine* Nachtschwester für die ganze Station ist vielleicht auch nicht gerade eine gute Idee. Ins Bett pinkeln war aber auf jeden Fall nicht unbedingt etwas, was ich mit siebenundvierzig Jahren noch auf der »To-Do-Liste« hatte.

Nicht, dass wir uns da falsch verstehen: Ich war vor dem Schlaganfall ein sehr aktives und selbständiges Menschenwesen gewesen, und danach war ich so beweglich wie der halb verdaute Ötzi im Gletscherkühlschrank! Das macht mir seelisch wirklich sehr zu schaffen, und oft fühle ich mich einfach nur todtraurig, obwohl ich ja sehr froh bin, dass ich überhaupt so frisch im Kopf überlebt habe. Diese unterschiedlichen Gemütszustände jagen mir an schlechten Tagen zwanzigtausend Mal durch die Hirnrinde und machen mich manchmal echt wahnsinnig! Ich kann oft wirklich einfach nicht glauben, dass ich nicht mehr laufen kann. Sehr komisch, das alles. Zum Verrücktwerden.

Anfang Februar zog ich dann in die Rehaklink um. Wegen der Arschgeigen von der Boulevardpresse, die schon auf allen legalen und moralisch unwürdigen Wegen versucht hatten, mir aufzulauern, nannte man mich »Frau Peters«. Sonst werden die Promis auch gerne mal »Meyer« genannt, aber es waren schon zu viele echte Meyers gemeldet. In der Rehaklinik habe ich mich auch eigentlich sehr wohl gefühlt, bis auf die eine oder andere Situation. »Meine« Station war sehr angenehm. Die Schwestern waren sehr nett. Auf der Station gab es auch viele arabische Patienten mit Schädel-Hirn-Trauma, junge Leute, die mit 600 PS durch die Wüste geballert waren und dann leider vom Motor-Kamel geflogen sind. Da Arabisch nicht mal meine dritte Fremdsprache nach Kölsch und Englisch ist, versuchte ich, mich mit Englisch durchzuschlagen, was jedoch auch nicht zwangsläufig zu einer flüssigen Unterhaltung führte.

Vorher, auf der Intensivstation im Krankenhaus, hatte ich bereits ein bisschen Rehatraining gehabt. Ich sollte immer auf der Bettkante sitzen üben, aber ich hatte das nicht gekonnt und bin immer wieder umgekippt. Ich musste auch im Rollstuhl sitzen lernen … »Sitzenlernen«, das kam mir genauso sinnvoll vor, wie Free Willy das Brustschwimmen fürs Seepferdchen-Abzeichen abzunehmen!

Kleine Episode noch zum Thema Rollstuhl: Als schon früh im Krankenhaus klarwurde, dass ich noch für lange Zeit einen Rollstuhl brauchen würde, kamen von überall Vertreter von Rehaprodukten mit ihren Rollstuhlkatalogen auf mich zu … da muss es einige sehr interessante Multiplikationsgespräche unter dem Siegel der Verschwiegenheit gegeben haben. Sei's drum, auch Hyänen brauchen Futter.

Sehr wichtig war mir auch, dass sämtliche Kanülen und Schläuche aus meinem Körper verschwinden. Auf der Intensivstation hatte ich ja noch eine Magensonde für die künstliche Ernährung. Noch unattraktiver, als diese braune Pampe über die Nase Richtung Magen verschwinden zu sehen, ist höchstens noch, einem Yeti mit Sonnencreme den Rücken einzucremen. Die Schwestern auf der Station waren sehr nett, und wir arbeiten langsam daran, sämtliche Kanülen und Schläuche aus meinem Körper zu entfernen. Als ich versuchen sollte, ein Marmeladenbrot zu essen, klappte das Schlucken eigentlich schon ganz gut. Da die Ärzte aber Angst hatten, ich könnte was in die Luftröhre bekommen, sollte ich aber auch auf jeden Fall noch zur Schluckdiagnostik gehen – haha, kleiner Scherz: »gehen« natürlich nicht, ich kann ja gar nicht mehr einfach irgendwo hingehen! Ich rolle ja jetzt – wenn einer so nett ist und mich schiebt! Ich machte mir zur bittersüßen Aufheiterung eine eigene kleine Bild-Schlagzeile: »Gaby Köster wütend! Fremdbestimmt durch Schlaganfall!« Vielleicht sollte ich mir auch selber »Post von Wagner« schreiben: »Lieber Schlaganfall, du gehst mir auf den Sack!«

Wo war ich stehengeblieben? Ah ja, Schluckdiagnostik. Was es nicht alles gibt! Ich bekam wieder einen Schlauch durch die Nase und sollte einen Joghurt essen. Leider war es ein Erdbeerjoghurt, was zur Folge hatte, dass sich die ganzen kleinen Erdbeerkörnchen auf meiner Zunge zum Meeting getroffen haben. Als ich die Erdbeer-Demo per Schluckverfahren auflösen wollte, hatte ich mich prompt an den ganzen Körnern verschluckt, und die Untersuchung wurde abgebrochen. Das war's dann erst mal mit selber essen. Seitdem bevorzuge ich Naturjoghurt, ich bin halt etwas nachtragend.

Ebenfalls nachtragend muss ich an dieser Stelle auch noch mal feststellen, dass ein Katheter auf meiner internen Unbeliebtheitsskala unter den Top 10 ist, noch vor Platz 9: Brechdurchfall. Dieser miese, drisselige Drissdrecks-Katheter hat mir eine Menge Schmerz bereitet, gerne und ausgiebig auch beim Spazierenfahren mit dem Rollstuhl im Park. Jeder kleinste Huckel im Asphalt ging mir bis in die Haarspitzen und tat einfach nur höllisch weh! Irgendwann habe ich einer Schwester gesagt, sie soll mir endlich diesen vermaledeiten Katheter rausholen, sonst würde ich aus dem Fenster springen! »Das will ich aber sehen«, sagte Frau Unbarmherzig höhnisch. Ich habe dann ziemlich sauer zurückgeblafft: »Können Sie ja, Sie stehen ja in der ersten Reihe!« Ein Arzt kam daraufhin und erklärte mir, dass sich der Urin nicht in der Blase sammeln dürfe. Dann wäre die Infektionsgefahr zu hoch, und das wäre wiederum alles andere als gut. Ich versprach hoch und heilig, mich nicht zu infizieren. Ich hätte allerdings auch versprochen, einen weißen Hai per Hand mit Frolic zu füttern, wenn das einer verlangt hätte! Hauptsache, das Ding kam raus – was auch noch mal sehr unangenehm war und sich wie eine satte Blasenentzündung anfühlte.

Als ich dann eines Tages im April endlich schlauchfrei und ohne Katheter war, fand ich dieses Gefühl jedenfalls ausgesprochen klasse! Endlich wieder richtig essen! Leider habe ich hauptsächlich das gegessen, was auf keinen Fall unter »richtiges Essen« firmiert: Haribo, Eis, jede Menge Schokolade. Da ich ein zu Extremen neigender Mensch bin, habe ich das Zeug praktisch in Anstaltsmengen zu mir genommen. Weil ich natürlich zum Ausgleich gar keinen Sport gemacht habe (witzig, ne?), sah ich bald so knuffig aus wie Bud Spencer im Neoprenanzug. Wie viele Kilos ich zugenommen habe? Keine Ahnung, das habe ich rein gedanklich storniert! Damit aber ein bisschen mehr Bewegung ins Spiel kam, hatte ich dann sehr häufig Physiotherapie. Ich lag ja mittlerweile auf Station 6, einer normalen Privatstation. Eine Therapeutin hieß Heidi und war sehr robust im Umgang mit meinem Körper, deswegen hatte sie von mir den Spitznamen »Eisen-Heidi« bekommen.

Mein linkes Bein ist gelähmt, und ich kann die Zehen nicht bewegen. Um meine Nerven zu aktivieren, rammte Eisen-Heidi mir oft die linke Ferse auf den Boden. Das tat sehr weh, und ich versuchte sie oft von dieser Übung abzubringen, indem ich ihr sagte, dass mich eine zertrümmerte Ferse auch nicht wirklich weiterbringen würde. Hat nix genutzt.

Oft habe ich auch im Anfangsstadium der Rehamaßnahmen einfach nur Stehen geübt, was schon schwer genug war. Ich musste öfter eine Pause machen und mich wieder hinsetzen. Worauf mir Eisen-Heidi unter Aufbringung all ihres Charmes sagte, ich sollte meine »dicke Kiste« bewegen! Das ging mir zu weit, und ich versuchte ihr klarzumachen, dass das immer noch »ein feines Popöchen« wäre, praktisch der Traum einer jeden Märchenfee. Ich will nicht über Eisen-Heidi meckern, ich habe schon verstanden, was sie mit solchen Äußerungen bezwecken wollte. Diese kleinen Provokationen sollten mich ärgern und mich zu mehr Leistung motivieren. Das Blöde ist nur, dass genau solche Methoden bei mir pihaupt noch nie funktioniert haben. Bei Druck und Ärger breche ich stumpf weg, das geht voll nach hinten los. War schon immer so: bei der Arbeit, in Beziehungen … eigentlich überall. Vielleicht hätte ich das Heidi auch mal sagen sollen, aber ich kann auch ganz toll beleidigt sein.

Mittlerweile verstehen wir uns sehr gut – wer hätte das gedacht? Heidi, das muss ich einmal an dieser Stelle ausdrücklich betonen, ist eine Koryphäe auf dem Gebiet der Physiotherapie! Die kennt von jedem Muskel den Vor- und Geburtsnamen zuzüglich des Datums der Erstkommunion, sehr wohl! Sie gibt niemals auf, und jeder Nerv wird Ihnen demütigst bestätigen: Die lässt nicht locker! Sensationell!

Das musste mal gesagt werden, weil es ja auch für die Leute oft schwierig ist, mit mir und meiner Art klarzukommen. Ich erinnere mich gerne daran, wie verwirrt Heidi war, als ich ihr relativ am Anfang in einer Therapiestunde gesagt habe, dass wir aber jetzt auch mal dringend an meinem linken Arm arbeiten müssten, da ich nämlich im richtigen Leben von Haus aus Konzertpianistin wäre und bald wieder auf Tournee müsste! Da war die gute Frau natürlich reichlich verwirrt und hat vielleicht auch erst mal gedacht, dass ich etwas verrückt war.

Mit der Ergotherapeutin habe ich die kleinen Dinge des alltäglichen Lebens geübt, die für mich allerdings zu großen Herausforderungen geworden sind. Kleines Beispiel? Als ich endlich in der Lage war, vom Rolli selber aufzustehen, mich am Fußende des Bettes festzuhalten und nicht umzukippen, konnte ich mich in den Toilettenstuhl setzen, damit man mich auf die Toilette schieben konnte. Toll, oder? Jetzt wird der gesunde Mensch fragen, was es denn bitteschön jetzt da soooooo toll zu beklatschen gibt, schließlich ginge es ja wohl offensichtlich immer noch nicht ohne Hilfe! Richtig, es geht immer noch nicht ohne Hilfe! Wohl wahr. Aber es ist ein wahnsinnig tolles Gefühl, nicht mehr in die vermaledeite dricksdrisselige Bettpfanne machen zu müssen. MÜSSEN, verstanden? Man bekommt ein Stück Privatsphäre zurück, ein Stück Würde und das ist eben der große Erfolg an diesen kleinen, unter vielen Entbehrungen herbeigeführten Veränderungen. Dass das für gesunde Menschen, die mal eben schnell auf Toilette gehen, nur schwer nachvollziehbar ist … geschenkt! Und es bleibt ja trotz allem immer noch genügend Raum für ein bisschen Verzweiflung, schließlich bin ich Rechtshänderin und habe sehr leider keine Teleskoparme, um die großen Geschäfte selber abzuputzen! – So genau wollten Sie es nicht wissen? Ich auch nicht, das können Sie mir glauben! Aber solange mein linker Arm weiterhin der Ansicht ist, er hätte ein Anrecht auf Komplett-Rente mit siebenundvierzig, werde ich wohl erst mal weiterhin auf kleine Erfolge der Selbständigkeit hintrainieren.

Kleine Anmerkung: Es ist schon manchmal erstaunlich, was einige Menschen unter einer psychologisch sinnvollen Motivation verstehen! Ich erinnere mich, wie ich einmal mit heruntergelassener Hose am Fußende des Bettes stehe und mich festhalte. Weil alles so wacklig war und ich das Gefühl hatte, in einer Hüpfburg zu stehen, hielt ich mich noch mehr fest. Schließlich wollte ich ja auch nicht hinfallen, das wäre gar nicht gut für meine körperliche Erholung gewesen. Also fragte ich meine Ergotherapeutin, ob sie mir netterweise die Hose hochziehen könnte. »Neee«, sagte sie, »machen Sie mal! Das ist ja Ihre Hose und nicht meine Hose!«

Hallo? Ja, wie denn? Wie ich inzwischen hörte, studiert diese Dame jetzt Psychologie … hätte sie besser mal vorher gemacht! Ich musste mich doch mit der rechten Hand festhalten, Frau Sonnenschein! Das war so demütigend. Mag sein, dass auch mit diesem Satz nur mein Ehrgeiz geweckt werden sollte. Wurde er aber nicht. Ich dachte nur, wie gerne ich wutheulschnaubend auf ZWEI gesunden Beinen aus dem Zimmer gelaufen wäre und ihr im Vorbeigehen in den pomadigen Hintern getreten hätte ... wenn ich hätte können!

Das waren die Situationen, in denen ich mich oft gefragt habe: Ob mein Mitmensch eigentlich weiß, was er da so leichtfertig sagt? Wahrscheinlich nicht, aber ich muss hier dann auch mal die Schwestern und Pfleger in Schutz nehmen, denn der normale Alltag mit so vielen Kranken und deren psychischen und physischen Bedürfnissen und unterschiedlichsten Therapiebehandlungen lässt in so einer großen Klinik wenig Raum für permanente Selbstreflexion. Wenn man jetzt noch bedenkt, dass man mit dem Netto-Verdienst als Pfleger nicht zwangsläufig bei Forbes hinter Bill Gates in der Liste der reichsten Menschen der Welt auftaucht, wundert es mich nicht, dass dieser Beruf für viele mittlerweile so attraktiv ist wie eine Woche Yak-Dung schüppen in Katmandu! Ich möchte auch wirklich nicht den Eindruck erwecken, dass die Damen und Herren vom Personal nicht nett waren. Im Gegenteil! Und außerdem war – und bin – ich ja auch nicht ohne, is schon klar! Wenn ich da nur an meine Messerwerfernummer denke!

Ich musste ja immer viel trinken, und durch den anfänglichen Bewegungsmangel bekam ich auch ab und zu ein Abführmittel, damit verdauungstechnisch keine Probleme auftraten. An einem Tag hatte man mir also alles verabreicht, mich mit meinem neuen Rolli ins Zimmer geschoben und vorsichtshalber oben an den Griffen die Bremsen angezogen. Ich musste aber auf einmal dringendst zur Toilette, konnte aber die Bremsen nicht lösen, weil ich nicht drankam. Leider konnte ich somit auch nicht die Schwesternklingel erreichen. Was nun? Aufgeben und alle Dämme brechen lassen? Glücklicherweise stand ich vor meinem Tisch, auf dem noch das Tablett mit dem Mittagessen war. Also nahm ich in meiner Not das komplette Besteck und warf es einzeln, aber mit voller Wucht gegen meine Zimmertür, um auf mich aufmerksam zu machen! Irgendwann kam zwischen fliegenden Messern eine Schwester rein und fragte entsetzt: »Was ist denn hier los?« Ich sagte nur trocken (sozusagen gerade *noch* trocken): »Kommen Sie ruhig rein, es fängt gerade erst an!«

Einmal, am Sonntagmorgen hatte ich volle Pulle MTV laufen, denn es lief »Purple Rain« vom Herrn Prince, und das hatte mich an alte Zeiten erinnert! Es war jedenfalls ziemlich laut in meinem Zimmer, und ich möchte fast in alter »Was bin ich«-Manier lembkeesk hinzufügen: Geh ich recht in der Annahme, dass die Musik so brüllend laut war, dass die komplette Station 6 mitsingen konnte? Plötzlich kam Professor Hartman herein, ein Spitzenneurologe, noch dazu ein feiner Kerl und stolzer Vater von acht Kindern. Ich machte den Fernseher leiser, und er sagte fast fassungslos: »Was ist denn jetzt los? Warum ist das denn jetzt so leise, machen Sie das wieder lauter! Ich bin doch nur deshalb reingekommen!« Das war schon sehr lustig, wir haben dann noch lange zusammen rumgealbert und uns über die deutsche Rechtschreibung lustig gemacht, denn auf meinem Nachtschränkchen stand »Bettisch«, was nach der neuen Rechtschreibung aber eigentlich ein »Bet-Tisch« gewesen wäre. Also ein Tisch zum Beten! Aber kein Wunder, wenn man bedenkt, dass die meisten Krankenhäuser ja auch fest in kirchlicher Hand sind!

Wo wir gerade bei den Professoren sind: Die Visite vormittags konnte oft sehr unterhaltsam sein, was wiederum meistens an Professor Dr. Thomas Rommel lag! Ein begnadeter Arzt und – wenn er will – ein sehr charmanter, schwäbischer Entertainer! Meistens im Verbund mit Dr. Romeo von Scharpen, einem sehr gut aussehenden Dreibein im Weißkittel. Eines Tages stand Monsieur Scharpen auf dem Flur und hatte den Hintern so rausgestreckt … ich muss schon sagen … sehr sexy, da hätte ich sehr gerne reingekniffen! Ein sexy Hintern ist und bleibt ein sexy Hintern, da ändert auch ein Schlaganfall nichts dran. Ich hab ja schließlich Augen im Kopf.

Damit diese nicht von den ewig gleichen Bildern leben mussten, habe ich auch oft Fernsehen geguckt. Auf der Suche nach guter Unterhaltung habe ich auch häufiger auf VIVA gezappt (gute Unterhaltung und VIVA stehen nicht in einem unmittelbaren Zusammenhang, das ist mir schon klar, das wäre ja wie RTL 2 – der Kultursender), wo ich dann meistens diesen schrecklichen Kuschelsong erwischt habe. Von diesem pikloppten Hasen, der seiner Möhre ein Lied singt. Das kann schon ein halbwegs vom Schlaganfall gemartertes Gehirn noch weiter ins Storno zurückdrängen. Schlimmer waren (wenn man da überhaupt noch von schlimmer reden kann! Gibt es eine wirkliche Steigerung von »Scheiße«?) da früher höchstens noch die nachgesungenen Hits von den Schlümpfen. »Valerie« von der wahnsinnigen Amy Winehouse kam auch oft, war aber nicht ganz so schlimm wie der wahnsinnige Kuschelsong. Vielleicht liegt es daran, dass der Wahnsinn von Amy ja selber erarbeitet worden ist, also im Suff praktisch! Was der hirnverbrannte Kuschelsong-Komponist sich alles reingepfiffen hatte, um so einen Wahnsinn zu kreieren, weiß ich nicht, aber es ist auf jeden Fall das falsche Zeug und viel zu viel davon!

Ich weiß nicht, ob ich schon erwähnt habe, dass mein Gesicht auch etwas deformiert aussah, weil ich ja den Schädelknochendeckel rausgenommen bekommen hatte, damit der Druck nicht so groß wurde auf das geschwollene Gehirn? Jedenfalls war ich etwas ängstlich angesichts der Tatsache, dass der »Deckel« wieder reimplantiert werden sollte. Schon wieder eine Operation! Ich war natürlich auch sehr begeistert über die Information, dass mein Schädeldeckel seit Monaten bei minus 40 Grad in der Tiefkühltruhe der Klinik lagerte. Die Mum und ich haben immer rumgeflachst, dass er wahrscheinlich direkt neben der Erbsensuppe in einem wunderhübschen rosa Tupperdöschen mit der Aufschrift »Kösters Deckel« eingefroren war! Deswegen hatte ich auch den Arzt gebeten, er sollte sich darum kümmern, dass das kostbare Teilchen auch vor der Verschraubung auf meinem Restschädel ordentlich auf Betriebstemperatur vorgeglüht würde, damit mein Hirn keine Gänsehaut bekommen würde! Außerdem machte ich natürlich noch den Vorschlag, stabile Dübel zu nehmen, damit mir irgendwann mal nicht beim Handstand der Deckel runterknallen würde! Der Herr Operateur war angesichts solch fachlich einwandfrei vorgetragener Vorschläge ähnlich amüsiert wie ich und versprach, auf den korrekten, bombenfesten Sitz meines Kopfdeckels besonders zu achten!

Anfang April kam ich also wieder in die Neurochirurgische Klinik in Merheim. Die Operation verlief aber völlig reibungslos. Ich weiß noch, dass ich aus der Narkose aufwachend ins Zimmer geschoben wurde und meine Mutter fragte, ob denn etwa schon alles vorbei wäre.

In der Narkose hat man wirklich ein sehr schlechtes Zeitgefühl, ist Ihnen das auch schon mal aufgefallen? Was mir außerdem noch aufgefallen war: Diesmal hatten die Ärzte mich nicht zugenäht, sondern zugetackert! Das fühlte sich alles sehr komisch an und sah auch – da ich wieder eine Glatze spendiert bekommen hatte – nicht gerade nach Vanity-Fair-Titelbild aus, sondern nach Frankensteins Braut, die einen frischen Kopfreißverschluss spendiert bekommen hat! Mein getackerter Kopf war zwar schnell verheilt, allerdings fühlte ich lange Zeit immer noch einen einsamen und übriggebliebenen Tacker am Hinterkopf. Bei der nächsten Visite fragte ich dann, was da los wäre. War da ein Praktikant im OP gewesen, der rumgenörgelt hatte » Menno, ich stehe hier nur die ganze Zeit dumm rum, ich will auch mal tackern«? Diese Vorstellung fand ich jedenfalls amüsanter als die Erklärung der Schwester, dass mit dem Teil irgendwelche Drainageschläuche befestigt worden waren. Der Transport von einer Klinik in die andere fand übrigens im Bett statt und war im wahrsten Sinne des Wortes wirklich »unterirdisch«, da die Kliniken über Gänge unter der Erde miteinander verbunden waren. Es hat dort gezogen wie Hechtsuppe, darum habe ich immer gesagt: »Wir fahren wieder mit der U-Bahn!« Interessant war auch immer »der Umzug« von einem Bett ins andere, denn dank einer Art Styropormatte mit Rutschfolienüberzug flutschte ich von einem Bett ins andere!

Natürlich war ich sehr froh, dass ich alles gut überstanden hatte, und nach ein paar Tagen kam ich auch wieder in mein altes Zimmer auf Station 6. Schnell nahm der für mich mittlerweile normale Reha-Alltag seinen Lauf: Therapie, Therapie, Therapie! Immer schön nach dem Motto: Ohne Fleiß keinen Preis. Mühsam ernährt sich das Eichhörnchen. Frei nach Armstrong (Neil, nicht Lance!): Ein kleiner Schritt für die Menschheit, aber ein großes Problem für mich! Im Ernst, meine ersten Gehversuche waren wirklich ein äußerst langwieriges und schwieriges Unterfangen: Ich bekam eine Krücke und zwei Therapeuten. Einer an meinem Arm, der andere rollte auf einem kleinen Rollhocker neben mir und achtete darauf, dass sich meine Beine und Füße richtig hinstellten. Der ganze Bewegungsablauf ist immer noch unglaublich anstrengend, und fünf kleine Schritte fühlen sich an wie ein gesprinteter Halbmarathon …, aber es funktioniert. Man muss nur Geduld haben! Habe ich aber nicht. Übrigens auch nie gehabt. Und schon gar nicht, als ich noch gesund war. Wo sollte also jetzt die Geduld herkommen, die wird ja nicht mit der Krankheit mitgeliefert, frei nach dem Motto: »Ach, Sie hatten einen Schlaganfall? Da ist natürlich eine Engelsgeduld serienmäßig mit drin!« Ja sicher, sonst noch was?!

Geduld! Mein Motto für mein Leben vor diesem dämlichen Schlaganfall war eher von der Sorte: »Ich habe viel Geduld, wenn es nicht zu lange dauert!« Wenn es schnell geht, macht nix! Wobei das so natürlich auch nicht ganz wahr ist. Ich kann zum Beispiel voller Geduld drei Stunden lang telefonieren, wenn es sein muss. Oder einem guten Freund zuhören, wenn er Sorgen und Nöte hat. Aber das ist wohl eher Ausdauer und menschliche Fürsorge statt Geduld. Auch jetzt noch, nach zwei Jahren mit der Krankheit, bringt mich diese langatmige Verbesserung meines maladen Bewegungsapparats manchmal um mein seelisches

Gleichgewicht. Damals nach den ersten zwei Monaten im Krankenhaus konnte ich es nicht schnell genug erwarten, mein geliebtes Haus und meine Tiere wiederzusehen. Aber erst im Frühling wurde von ärztlicher Seite dann endlich darüber nachgedacht, ob, wann und wie lange ich mal für ein paar Stunden nach Hause durfte. Was mich natürlich vor Freude fast erneut umgebracht hat! Endlich mal wieder die eigenen vier Wände sehen! Und endlich wieder meine heißgeliebten Hunde streicheln!

Herr Professor Rommel war dafür, für den Ausflug nach Hause einen Krankentransport zu ordern, weil ich ja noch nicht sicher ohne professionelle Hilfe laufen konnte! Haben wir natürlich dann auch gemacht: Ich wurde schön im Rolli abtransportiert und nach Hause geschiggert. Ich war natürlich völlig außer mir, weil ich endlich alle Hunde wiedergesehen habe. Die Tiere hatten mich so vermisst! Diese Wiedersehensfreude war Schokolade fürs Herz, wirklich wahr!

Ich habe es außerdem genossen, in Ruhe in meinem Büro zu sitzen und durch die Berge von Post mit Genesungswünschen zu stöbern. (Dazu später noch mehr!) Im Büro habe ich dann allerdings auch nach Zigaretten gesucht und endlich auch welche gefunden. Und geraucht, jawohl. Zum völligen Entsetzen meines Sohnes, der Ärzte, Pfleger und vieler Freunde habe ich wieder mit dem Rauchen angefangen. Ich habe vor dem Schlaganfall viel geraucht, und ich weiß, dass meine Blutgefäße von dem Nikotin schwer in Mitleidenschaft gezogen wurden. Aber: Ich rauche! Warum, wieso? Weil ich es so will. Ich bin nach wie vor in vielen Belangen fremdbestimmt, und das kann ich wenigstens alleine! Mein Sohn Donald ist verzweifelt darüber, und das kann ich auch gut verstehen, aber ich kann es einfach nicht lassen, ich will einfach rauchen. Wie alle Süchtigen habe ich mir natürlich auch meine Ausreden und Rechtfertigungen fein zurechtgelegt, aber eigentlich will ich hier niemandem irgendeinen Unsinn erzählen. Deswegen noch einmal: Ich rauche, weil ich es im Augenblick so will. Weil ich auch vielleicht tief im Innern mit dem Feuer spielen will. Sie kennen ja den Spruch: »Rauchen kann Ihre Gesundheit gefährden.« Aha. Welche Gesundheit? Meine Gesundheit ist sowieso nicht gesund. Ich könnte sterben, klar. Also – noch schneller sterben. Aber davor, Freunde der Thanatologie, habe ich auch keine Angst mehr. Denn ich war ja praktisch schon mal tot!

Wir sollten nicht immer soviel Wind um unser kleines, bescheidenes Leben machen. Millionen leben so gesund, dass es mir schon fast wieder weh tut: Malochen, joggen, Muckibude, immer auf den Body achten! Proteindiät, Weight Watchers, Trennkost und die nicht tot zu kriegende Brigitte-Diät! Haben Sie mal einen Jogger gesehen, der glücklich aussieht? Ich sehe nur immer schweißgetränkte, verzerrte Gesichter von Menschen, die mir hinterher erzählen, sie wären ab einem gewissen Zeitpunkt »wie in Trance« gelaufen, wie im Rausch. Vielleicht wären da ein Cocktail und eine Kippe doch mal ab und zu eine bessere Alternative für Rausch und Trance? Jaja, schon gut. Jeder nach seiner Façon. Jeder Jeck is anders. Ich will eben rauchen. Warum auch immer, der Grund ist egal. Ob ich vielleicht schneller sterben will, ob es mir tatsächlich schmeckt oder es eins der wenigen Dinge ist, die ich noch selber bestimmen darf – keksegal. Ich tue es einfach. Und ich will darüber auch nicht mehr diskutieren, denn es ist mein Leben, meine ureigenste Entscheidung. Ich mache ja auch niemandem Vorschriften, was er zu sein und zu lassen hat. Basta.

So, das musste ja auch mal gesagt werden! Aber zurück zu meinen ersten »Home-Run«: Schwester Ute hatte mir zwar noch in der Klinik den Tipp gegeben, ja alles langsam anzugehen und nicht zu viel Besuch nach Hause einzuladen, denn alleine wieder nach Hause zu kommen, wäre schon anstrengend genug! Als ich wieder völlig platt, hundemüde und erschöpft in der Klinik zurück war, ahnte ich auch, was sie damit wohl gemeint hatte! Aber zu Hause, in dem ganzen Tohuwabohu von Gästen und Tieren, habe ich das wohl nur allzu gerne verdrängt! Es war aber für mein krankes Hirn ganz schön schwer, die vielen Eindrücke, Unterhaltungen und Emotionen zu verarbeiten und einzuordnen. Aber ich war soooo glücklich wie schon lange nicht mehr.

Nachdem ich wieder angefangen hatte mit dem Rauchen, bin ich auch im Krankenhaus wieder etwas häufiger unter Menschen gekommen, da man ja auf dem Zimmer nicht rauchen durfte. Nach dem Frühstück bin ich erst mal »frische Luft schnappen« gefahren, will heißen, schnell nach unten in den Park vor die Tür und im »Raucherwohnzimmer« eine quarzen. Dort habe ich noch andere Leute getroffen – Freunde der tanzbaren Beatmusik, denn Raucher sind ja nicht nur süchtig, sondern auch sehr gesellige Menschen! Wir haben uns rege unterhalten und uns gegenseitig unser Leid geklagt. Die meisten hatten einen Schlaganfall wie ich, das heißt: Irgendeine von den zwei Körperhälften war meistens gelähmt, so zum Beispiel auch die von Hagen. Der erzählte immer gerne, er habe sich einen Sportwagen gekauft, den er noch ordentlich hat aufrüsten lassen, damit er schön laut sei und er ihn auch gut hören könne! Ich weiß leider bis heute nicht, ob er ihn tatsächlich auch fährt! Hagen, mach mal Meldung!

Herr Kreuter, dessen Frau Elsa mit mir im Haupthaus auf der Intensivstation lag, kam auch dazu und entspannte gerne mal bei einer Zigarette. Mit ihm habe ich noch heute Kontakt, was mich sehr freut! Das gilt auch für Michael Schmitz. Michael fing eine Unterhaltung fast immer mit den Worten »Dä Driss (der Mist)!« an! Irgendwann sagte ich ihm, dass ich überlege, über all das, »dä Driss«, ein Buch zu schreiben. Und er meinte nur: »Wenn de dat mähs, dann schriev ävver och und dä Schmitz wohr dä Schönste von se all!!«(Wenn du das machst, dann schreibe aber auch und der Schmitz war der Schönste von allen) Lieber Schmitz: habe ich hiermit gemacht.

Michael hat sehr lange Haare und mein Sohn Donald nennt ihn nur »den rauchenden Jesus«. Ab und zu treffen wir uns heute noch. Dann kommt er mich mit seiner Frau Anja besuchen – und zwar zu Fuß. Ha! Yeeeehawyippieyeah! Als Michael mich am Karfreitag 2009 besucht hat, schrie Donald ganz aufgeregt durchs ganze Haus: »Gaby, komm schnell, der Jesus steht vor der Tür!«

Wir haben an dem Tag viel gelacht, trotz »dä Driss«! Danke dafür, Jesus!

Die liebe Presse

Wie oft liest man einen Bericht über einen Prominenten in der Boulevardpresse ohne darüber nachzudenken, ob diese »Informationen« stimmen – oder noch besser, wie sie der betreffende Journalist überhaupt »recherchiert« hat? Zu oft. Denn die Macher dieser Gattung von Zeitung kümmern sich leider oftmals einen Dreck um Anstand und Fair Play. Ich musste schon in der Zeit meiner Scheidung machtlos ertragen, dass mein damals zwölfjähriger Sohn auf dem Schulhof oder vor dem Haus von Fotografen belästigt wurde. Ich verstehe das einfach nicht. Wie schon gesagt – diese Mistpockenpaparazzi standen vor meiner Haustür und brüllten durch die ganze Straße im Beisein meines Sohnes: »Komm endlich raus, du Schlampe, wir brauchen ein Foto von dir!« Danke dafür noch mal an dieser Stelle! Mein Sohn saß damals stundenlang im Haus und weinte: »Diese Schweine sollen endlich meine Mama in Ruhe lassen!« Warum kann man mein Kind nicht in Ruhe lassen?

An seinem Geburtstag hatte ich ihn und seine Freunde ins Kino gebracht, und als ich die Geburtstagsfeirer wieder abholen wollte, habe ich Donald vorher im Kino angerufen und Bescheid gesagt, dass die Paparazzipinscher vor dem Kino lauerten. Ich hatte die Aasgeier schon vor dem

Haus entdeckt und ahnte, dass die Mistvögel mir sowieso gleich im Auto folgen würden. Vorsichtshalber hatte ich Handtücher und Decken mitgenommen. Im Kino habe ich die Kinder unter diese Decken gesteckt und schnell in den Wagen verfrachtet, damit die Pestpocken die Kids nicht abschießen konnten. Die Kinder fanden das natürlich irre spannend und lustig, ich dagegen fand es so lustig wie Honig auf der Computertastatur!

Meine Scheidung war auch nicht gerade ein Ohnsorg-Schwank, und deswegen haben uns die permanenten Attacken der Boulevardpresse wirklich schwer zugesetzt. Dazu kam natürlich noch die Frage, wen denn überhaupt, außer meinen Mann und mich, unsere Scheidung noch was anging? Ich höre oft solche schnell dahin gespuckten Weisheiten wie: »Wer in der Öffentlichkeit steht, der a) hat damit zu rechnen b) darf sich nicht beschweren c) muss hinnehmen, dass die Öffentlichkeit ein Recht auf Informationen über eine öffentliche Person hat.« Ja, wat denn noch? Nur weil ich eine Fernsehsendung habe und in einer Stadthalle auftrete, darf mein Kind in der Schule ungefragt fotografiert werden, damit das Foto im Kölner Express erscheinen kann? Und meine älteren Tanten dürfen am Telefon belogen und ausgequetscht werden, um an »seriöse Informationen« zu gelangen? Über meine Scheidung? Ich könnte so eine Einstellung ja noch verstehen, wenn ich meine Verlobung an das ZDF und meine Hochzeit wie Boris Becker an RTL verkauft hätte, weil ich ansonsten keinen anständigen Beruf habe und das Geld brauche … Aber ich habe mein Privatleben gerne PRIVAT, und deshalb habe ich die Medien weder zu meiner Hochzeit noch zu meiner Scheidung eingeladen.

Natürlich verstehe ich, dass viele Menschen gerne alles über ihren »Star« oder Fernsehliebling wissen wollen. Darum gibt es ja auch offizielle Internetseiten, Interviews und Pressefotos. Auf meiner Homepage gab es ja auch ein Gästebuch, das mir die Möglichkeit gab, mit den Fans zu kommunizieren, was ich auch oft getan habe. Außerdem konnte ich so oft feststellen, was die Fans an der Show mochten und was nicht so gut ankam. Meine Agentur hat irgendwann nach dem Schlaganfall mein Gästebuch auf meiner Internetseite geschlossen, weil es einfach zuviel wurde, all die unglaublich vielen Genesungswünsche von den Fans und anderen lieben Menschen täglich zu bearbeiten beziehungsweise online zu stellen. Aber sie haben mir alles auf CD gebrannt. So konnte ich mir, als ich wieder geistig und körperlich dazu in der Lage war, alles in Ruhe durchlesen. Ich war überwältigt von der Anteilnahme, den wirklich mitfühlenden, warmen und lieben Worten und Genesungswünschen, die all diese lieben Menschen für mich gefunden haben. Das hat mir das Herz gewärmt und mir sehr viel Kraft zum Durchhalten gegeben. Und eines kann ich hier mit Inbrunst behaupten – das hat mir alles wesentlich besser gefallen als die heuchlerische Schmiererei von drisseligen Presseelaboraten wie »Stille Post« – oder wie diese Rohstoffverschwendungsdrucke sonst heißen! Dafür möchte ich mich an dieser Stelle wirklich mal sehr herzlich bedanken. Jawoll.

Ich verfolge aber auch im Internet mit sehr gemischten Gefühlen die Diskussionen, die man nachlesen kann, wenn man »Gaby Köster ist tot« googelt. Dort gibt es die üblichen Meinungen wie »die Öffentlichkeit hat ein Recht zu erfahren, was mit Gaby Köster los ist« und »sie hat gut an uns verdient, jetzt kriegen wir treuen Fans nichts von ihr zurück«. Sehr schön auch »und wenn sie wieder gesund ist, sitzt sie mit einem Buch bei Beckmann und Kerner, aber dann kann sie mich mal gerne haben«. Leute, mal ganz im Ernst und zum Mitschreiben: Ich habe niemanden niemals gezwungen »Ritas Welt« zu sehen. Keiner wurde unter Androhung von körperlicher Gewalt dazu genötigt, eine Eintrittskarte für meine Soloprogramme zu erwerben. Dass ich in den üblichen Medien wie TV-Zeitschriften oder Fernsehen meine »Produkte« bewerbe, gehört zu meinem Beruf. Ja, ich sitze bei Beckmann und in der Chartshow und rede über mein Programm und was ich sonst noch für Projekte habe! Aber auch da kann ich nur allen Kritikern sagen: Fernsehgeräte und Radioapparate zum Beispiel haben einen Aus-Knopf! Ja, und selbstverständlich werde ich dieses Buch bewerben, es hat sogar private Inhalte, weil ich sie erzählen möchte. Aber es ist ganz allein meine Entscheidung, wann, wo und wie ich diese Privatsphäre verlasse. Wir – meine Familie, mein Management – haben ganz bewusst die Entscheidung gefällt, keinerlei Informationen zur Krankheit vorher an die Öffentlichkeit zu geben. Weil ALLES, jede kleinste Meldung, nur zu weiteren Spekulationen und Fragen geführt hätte. Stellen Sie sich doch mal vor: Sie hatten einen schweren Schlaganfall und sind dem Tod im letzten Augenblick von der Schüppe gesprungen. Sie sind halbseitig gelähmt, ihr Kopf ohne Schädelplatte deformiert, und Sie sehen eigentlich so aus wie Frankensteins Braut. Ihre Mutter schiebt Sie im Rollstuhl durch den Krankenhauspark, und permanent versuchen irgendwelche als Gärtner oder Arbeiter verkleidete Schmierfotografen, Sie mit der

Kamera zu fotografieren, weil die Öffentlichkeit ja ein Anrecht darauf hat? NEIN! Hat sie nicht. Weil ich es nicht möchte, dass man mich so fotografiert. Ich möchte auch nicht, dass der Fahrer des Rettungswagens trotz seiner Schweigepflicht der Boulevardpresse erzählt, woran ich gerade eventuell sterbe, in welche Klinik er mich fährt und ob ich während der Fahrt gut ausgesehen habe oder nicht. Und angesichts des Elends und der Armut auf diesem unserem Planeten finde ich es unfassbar unanständig und geradezu obszön, dass diese Herrschaften dafür auch noch zigtausend Euros angeboten bekommen haben sollen! Nur damit die Öffentlichkeit in einer dünnen Zeitung mit wenig wahrem Inhalt lesen kann, dass ich mit einem schweren Schlaganfall ins Krankenhaus Merheim gefahren wurde. Was könnte man nicht alles Sinnvolles mit soviel Geld machen?

Ich möchte hier niemanden bekehren oder gar meine Meinung aufzwingen, ich möchte hier nur mal darlegen, wie sehr es der Boulevardpresse egal ist, was ich möchte oder nicht. Sie versuchen alles, um an Informationen zu gelangen. Und selbst wenn ich nur einen Satz veröffentlicht hätte wie »Gaby Köster ist schwer krank und meldet sich wieder zum Dienst, wenn sie gesund ist« – nichts hätte sich geändert, nichts wäre anders passiert. Und wenn der Schneeball erst mal rollt, dann ist er nicht mehr zu stoppen. An diesem System wollte ich mich einfach nicht beteiligen. All diese Fotografen hätten mir und meiner Familie weiterhin aufgelauert, all diese Schmierfinken der Regenbogenpresse wie »Schleimzeit Revue« oder »Das Alte« hätten sich trotzdem ihre Geschichtchen zusammenfabuliert. Diese Storys können ja manchmal auch zugegebenermaßen sehr lustig sein, wenn bloß niemand zu Schaden kommen würde. Als Humoristin habe ich beim Lesen der Bild-Zeitung oft Momente, wo ich kopfschüttelnd denke: Wer denkt sich so was überhaupt aus? Gute Frage, oder? Wie entsteht eine »Post von Wagner«? Wie oft haben wir schon über diese Elaborate gelacht und uns gefragt: Ist das Satire? Wenn ja, ist es dann noch lustig? Und wenn er das doch alles ernst meint, wer bringt ihn dann mal zum Arzt? Oder lacht der sich selber über sich kaputt? Ich würde es wirklich gerne wissen. Manchmal, wenn mir langweilig war im Krankenhaus, habe ich mir selber eine »Post von Wagner« geschrieben:

Lieber Schlaganfall,

ich kannte Sie bisher nur aus dem Fernsehen, von »Der Landarzt« oder »Praxis Bülowbogen«. Und ich frage Sie allen Ernstes: Warum sind Sie da nicht geblieben, anstatt mir in der Realität fürchterlich auf den Sack zu gehen? Haben Sie denn nichts Besseres zu tun, als Menschen, die fröhlich ihr Leben leben, zu behelligen? Einer berufstätigen, alleinerziehenden Mutter feige und heimtückisch in den Rücken zu fallen? Wer kümmert sich jetzt um einen jungen Mann in der Pubertät, um Tiere, die eine Mutti brauchen, die gesund und auf zwei Beinen mit ihnen spazieren gehen kann? Was hatten Sie sich gedacht, Schlaganfall, als Sie eine stolze und arbeitswillige Frau aus dem Berufsleben gerissen haben? Sie sollten sich schämen! Letztendlich sind es fiese Krankheiten wie Sie, die dafür gesorgt haben, dass man Sie nicht mag und oft sogar hasst! Dass man nicht gut über Sie spricht, ist also ganz allein Ihre Schuld! Vielleicht denken Sie darüber mal nach, bevor Sie arme Menschen quälen! Bei mir haben Sie jedenfalls komplett verschissen, so viel ist mal klar! Das haben Sie sich selbst zuzuschreiben!

Herzlich,
Gaby »Wagner« Köster

Ich hatte noch andere Versionen, aber die waren letztendlich nicht druckreif … oder wir hätten das Buch nicht FSK 0 bekommen!

Ich war nie ein Freund der Boulevardpresse, und ich habe mich stets bemüht, mich nicht mit diesen Leuten einzulassen. Ich will auch nicht moralisch richten über Kollegen, die sich nur allzu gerne auf ein engumschlungenes Tänzchen mit diesen Hyänen einlassen und bereitwillig Tür und Tor aufmachen. Das muss ja schließlich jeder selber wissen. Aber nicht mit mir. Ich habe selten etwas über mich in Boulevardzeitungen oder der sogenannten »Regenbogenpresse« gelesen, was wirklich wahr war. Meine Agentur hat einen großen Umzugskarton voller Illustrierten und Zeitungen, in denen es nur so von Berichten über mich wimmelt, die alle frei erfunden und erlogen wurden. Zusammengefasst würde sich das so lesen:

»TV-Star Gaby Köster – wird sie jemals wieder lachen, gehen und lieben können? Exklusiv! Jetzt spricht man auch über ihre geschockte Familie!

Eigentlich wollte die unheimlich sympathische und beliebte Künstlerin noch schnell vor dem Weihnachtsfest Millionen ihrer Fans mit zwei Auftritten zum Lachen bringen. Dann wollte sie mit der ganzen Familie, vielen Freunden, entfernten Bekannten, berühmten TV-Kollegen und ihrem kompletten Haussender RTL zu Hause unter dem Tannenbaum ein friedliches Weihnachtsfest feiern! Doch stattdessen: Schlaganfall! Künstliches Koma! Ihre Fans weinen! Es ist ein schockierendes Drama, was enge und vertraute Nachbarn erzählen, die nur fünfzig Kilometer um die Ecke entfernt von Gaby Köster wohnen: »Als der Schlaganfall sie traf, war sie ganz alleine.« Es ist so schrecklich. Niemand von ihren Kollegen war bei ihr, dabei hat sie immer so gut von allen gesprochen! Ihre Familie ist geschockt und sagt: »Wir können jetzt noch gar nichts sagen!« Selbst ihr TV-Ziehvater Rudi Carrell will sich nicht äußern, solange er noch tot ist und nichts Genaues über den Zustand seiner Lieblingskomikerin weiß. Arme Gaby Köster! Ihr Sender RTL sagte kaltherzig: »Wir haben im Augenblick und in diesem Zustand keine Verwendung für Frau Köster!« Wird jetzt Tine Wittler abnehmen, Kölsch lernen und eine Serie drehen, in der sie einen Supermarkt neu einrichtet und sich Mager-rita (!) nennt? Dazu ein Vertrauter des Supermarkts, in dem früher »Ritas Welt« gedreht wurde: »Das kann gut sein! Mein Gott, muss man das der armen Gaby denn antun? Diese Frau hat Millionen Menschen glücklich gemacht, aber so was hat sie wirklich nicht verdient! Mit uns hat jedenfalls noch keiner gesprochen.« Ärzte rätseln, woher der plötzliche Schlaganfall kam. »Mir hatte sie nichts davon gesagt, dass sie einen bekommen würde, und ich habe auch nichts geahnt«, sagt ein ehemaliger Kölner Arzt, der die liebenswerte Comedy-Queen immer sehr gerne bei »7 Tage, 7 Köpfe« im Fernsehen gesehen hat. Vor Jahren hatte die beliebte Powerkabarettistin auch schon mal einen Heilpraktiker aufgesucht, weil sie abends gegen 23.30 Uhr immer so müde wurde, nachdem sie tagsüber wieder wach gewesen war und durchgearbeitet hatte. Damals hieß es, es läge am Spagat zwischen Beruf, Familie und am Stoffwechsel. Dabei hatte die sympathische TV-Entertainerin immer so darauf geachtet, dass alle ihre Kleider aus reiner Baumwolle hergestellt wurden. »Wir können nur hoffen, dass Gaby wieder gesund wird«, sagt Tante Trude, die einen Kiosk in der Nähe der Redaktion hat, stellvertretend für alle, die um die beliebte Fernsehkomikerin Gaby Köster bangen.»

Jetzt darf der geneigte Leser sich fragen, was hier alles von mir erfunden wurde oder tatsächlich so oder ähnlich bescheuert in diesen drisseligen Drissdreckzeitschriften gestanden hatte.

Es gab sogar eine Illustrierte, die schrieb einen Artikel über mich und zeigte ein Foto mit einer Frau auf einem Friedhof an einem nicht näher erkennbares Grab, mit der Bildunterschrift: »Hier in der Nähe liegt das Grab von Gaby Köster!« Dumm war nur, dass das der Kölner Friedhof war und es sich um das Grab von Willy Millowitsch handelte, der zwar auch aus Köln, aber – bei allem Respekt – ansonsten mir nicht sehr ähnlich war!

Während also im Krankenhauspark diverse falsche Gärtner und Müllmänner versuchten, ein Foto von »TV-Star Gaby Köster« im Rolli zu schießen, wurden meine Ärzte, Therapeuten, Pfleger und Schwestern auf der Station sorgfältig gebrieft: Alle verdächtigen Personen sollten sofort gemeldet und von der Station entfernt werden. Ohne Gnade! Ohne Ansehen von Rang und Namen! Das Krankenhauspersonal war also schärfer als ein Rudel Dobermänner nach vierzehn Tagen Ananasdiät! Keiner sollte mir – beziehungsweise der lieben Frau Peters – auch nur zu nahe auf die Panade rücken! Das lief natürlich nicht ohne ungewollte Opfer ab, das war ja wohl so klar wie ein Zimmer ohne Meerblick im Hotel Wüstenfuchs! Einmal hat sogar eine Schwester einen Professor von einer anderen Station völlig ungerührt und unbeirrt von der Station geschmissen, weil sie ihn für einen verkleideten Paparazzi gehalten hatte. Gott sei Dank hat sie aber keinen Ärger deswegen bekommen. Ich weiß auch beim besten Willen und Überlegen nicht, warum es für einige Menschen so wichtig ist, ein Foto von einer kranken und entstellten Frau zu begucken? Ich habe mal einen Paparazzi, der mir im Krankenhauspark aufgelauert hat, gebeten, kein Foto von mir zu machen. Der Mann hat nur höhnisch gegrinst und mich verächtlich gefragt: »Ja und, was willste dagegen machen?«

Vielleicht liegt das ja auch ein bisschen am Fernsehen. Wahrscheinlich denken viele, dass wir Fernsehheinis dann so aussehen wie Iris Berben (nach einem Kopfstoß am Sicherheitskasten ihrer Kellerbar) in der Schwarzwaldklinik: Also einfach nur perfekt geschminkt, mit einer Komplettrolle Verbandszeug um den hübschen Kopp und den Rest vom Alabasterkörper in ein schickes Hunkemöller-Nachthemdchen mit lecker Dekolleté für den graumelierten, stets verständnisvollen Professor … ja vons wegen! Diese Fernsehärzte, die in Sendungen wie »Praxis Bülowbogen« oder der als Strandbar getarnten »Klinik unter Palmen« an verkorksten und liebesbedürftigen Muttis rumdoktern, sind von der Realität so weit entfernt wie Dirty Harry vom Osterfriedensmarsch! Die Wahrheit über mein Frankenstein-Spiegelbild habe ich ja schon etwas verstreut kundgetan, deshalb hier noch mal als Konzentrat: Kahlrasierter Schädel mit eingedätschter linker Hälfte. Aufgedunsen dank konsequenter Magenpflegefüllung mit Schokolade, Weingummi und Schokoshakes von Mäcces (McDonald's). Plus Kortison – und dank linksseitiger Lähmung mit Trainingsrückstand. Gegen mich sah das Michelin-Männchen aus wie die Gewinnerin von Tine Wittlers Next Topfmodels! Und wenn ich nicht möchte, dass solche Bilder von mir in irgendeiner Zeitung auftauchen, dann sollte das jeder Mensch einfach akzeptieren und respektieren. Es ist ja schließlich nicht so, dass man mit dem Erwerb einer Eintrittskarte für mein Comedy-Bühnenprogramm oder dem regelmäßigen gucken von »7 Tage, 7 Köpfe« prozentuale Körperanteile an mir erworben hat, die man jederzeit besichtigen darf! »Die Würde des Menschen ist unantastbar« heißt es im Grundgesetz. Da steht nix wie: »Die Würde des Menschen ist bei der Presse abzugeben, damit Karl Napp und Frau Hidding (Namen von der Red. erfunden) sich mit dieser Art Bilder die tägliche Schüppe Mitleid hinter die Binde kippen!«

Viele Menschen fragen sich ja immer gerne, was an einem Fernsehstarleben scheiße sein soll: reich, berühmt, beliebt und immer wird man toll behandelt! Man kann sich natürlich jeden Wunsch erfüllen, weil – habe ich das schon erwähnt? – man ja so reich ist. Jawoll, stimmt alles! Die ausgleichende Gerechtigkeit gegenüber allen Nichtfernsehstars ist, dass das nicht automatisch glücklich macht. Oder lecker gesund! Das Schöne zum Beispiel an meiner Krankheit war und ist, dass alle diese schönen Lebensweisheiten und Kalendersprüche, die man für so unendlich abgedroschen und sensationell hält, so beschissen wahr sind!!!! Ich sage nur: Hauptsache gesund! Glück kann man sich nicht kaufen! Wahre Freunde erkennt man in der Not! Ja, Leute, ich kann das bestätigen, ich weiß jetzt wie viel Wahrheit in diesen oft so leichtsinnig dahergesagten Volksmundphrasen liegt! Ich werde also einen Teufel tun und mich über mein schönes und oft privilegiertes Berühmtsein-Leben beschweren, aber ich habe eine verdammt drecksdrisselige, dünne Haut und kann mich nun mal nicht damit anfreunden, dass irgendwelche pikloppten Schreiberlinge miese Lügen über mich und meine Familie erzählen können.

Noch mal ganz klar, liebe Leserinnen und Leser: Geben Sie diesen Blättern wie »In Quatsch«, »Stille Post«, »Frostzeit Woche«, »Die Kacktuelle« keine Möglichkeit, ihre schäbigen Lügen zu verbreiten! Boykottieren Sie diesen verachtenden Klatschjournalismus! Am liebsten wäre es mir, wenn das ganze Geld aus den Unterlassungsklagen für einen guten Zweck gespendet werden könnte, damit wenigsten etwas Positives aus diesem Mist entsteht. So, das musste mal gesagt werden!

Natürlich gibt es auch die Möglichkeit mit seriösen Medien zusammenzuarbeiten, und ich hoffe sehr, dass ich das im Interesse meiner nichtprominenten Mitpatienten auch wirklich hinbekomme. Es gibt ja Talkshows, die sich wirklich um den »Menschen« drehen und die mehr erfahren wollen als das übliche »Du hast da gerade einen interessanten Film gemacht!«. Ich erinnere mich zum Beispiel an eine Sendung von Sandra Maischberger, die sich mit dem Thema Krebs und Schlaganfall auseinandersetzte. Dort war auch Peer Augustinski zu sehen, ein sehr sympathischer Kollege, der auch tapfer und erfolgreich gegen die Folgen seines Schlaganfalls kämpft. Und der beeindruckend offen und ehrlich über die Hoffnungen und Rückschläge im Alltag eines Rehapatienten berichtete. Kranke Prominente werden gerne von den Boulevardmedien auf die Mitleidsmasche reduziert. Daher ist es meiner Meinung nach sehr wichtig, dass wir uns mit den Vertretern der verantwortungsvollen Presse bemühen, ein realistisches Porträt zu gestalten, mit dem nicht nur die Kranken, sondern auch die Betroffenen im Umkreis etwas anfangen können. Denn es ist so gut zu wissen, dass man mit seinen Problemen nicht alleine ist. Oder man wertvolle Tipps für Reha und Alltag bekommt. Erfahrungswerte austauschen kann. Ich hoffe, dass ich das mit einigen Vertretern der Medienwelt hinbekommen werde.

Freunde

In diesem Beruf ist es nicht sehr schwer, einen großen Haufen Freunde zu haben. Was natürlich völliger Blödsinn ist oder eine falsche Definition des Wortes »Freund«. Was sagt denn das Lexikon dazu? »Ein sehr nahestehender Mensch, für den man freundschaftliche und kameradschaftliche Gefühle entwickelt hat.« Aha. Da fallen unsere ersten Kandidaten ja schon mal durch das Raster. Aber im Ernst: Ich habe oft tagelang im Krankenhaus darüber nachgedacht, wer meine Freunde sind und was ich überhaupt unter Freundschaft verstehe? Muss ich jemanden, den ich »als Mensch« mag, täglich sehen oder zum mindesten oft, damit ich ihn als Freund bezeichnen kann?

Ich habe einmal vor der Kliniktür auf die Mum gewartet, und plötzlich stand diese fremde Frau wie aus dem Nichts kommend vor mir und sagte mir: »Sie sind doch so berühmt und immer so alleine!« Das hat mich fast umgehauen und mich auch sehr sprachlos gemacht. Und wenn ich eines eigentlich nicht bin, dann ist es »sprachlos« sein. Ich habe diese Frau auch komischerweise nie wiedergesehen, obwohl ich das Gefühl hatte, sie schon öfter in der Klinik, im Garten oder im Klinikcafé gesehen zu haben. Mysteriös, das! Vielleicht habe ich mir das auch nur eingebildet?

Aber ich war natürlich auch in erster Linie sprachlos, weil ich mir so ertappt, so entlarvt vorkam! Was natürlich auch wiederum Quatsch war, denn natürlich war ich nicht immer so alleine. Das kommt einem nur so vor, weil man in dieser verfluchten Klinik ist. Wenn Sie alleine im Krankenhaus liegen, dann haben Sie auf einmal nur noch wenige Freunde, wenn Sie als Hauptkriterium zum Beispiel »Besuch« auswählen! Das ist aber auf den zweiten Blick meiner Ansicht nach sehr logisch! Als ob man gesund und »zu Hause« mehr Besuch hätte! Natürlich nicht! Dazu müsste man ja in unserem Beruf erst einmal auch viel mehr zu Hause sein, so sieht es doch mal aus! Denn auch gesund habe ich einige Freunde nicht öfter getroffen als dreimal pro Jahr, weil es einfach nicht öfter geklappt hat oder aber auch völlig ausreichend war. Ich bitte Sie, das kennt doch jeder: Es gibt Freunde, die sieht man fast alle drei Tage und telefoniert sogar täglich mit ihnen. Und es gibt gute Freunde, die man gerade mal mit Ach und Krach dreimal pro Jahr sieht, was sie ja aber eben nicht gleich automatisch zu Freunden zweiter Klasse macht!

Meine Freundin Uschi war wochenlang jeden verdammten Tag bei mir in der Klinik, als ich noch auf der Intensivstation gelegen bin. Jetzt sollten Sie, lieber Leser, auch noch wissen, dass Uschi nicht nur jeden Tag da war, sondern dass sie da war, obwohl sie noch jeden Tag als Leiterin einer Kindestagesstätte und Ehefrau und Mutter ihre Frau zu stehen hatte. Unglaublich. Vielen Dank, liebe Uschi. Sie hat mir sogar ihre Gedanken in Briefform in ein Buch geschrieben, damit wir uns eines Tages an all den ganzen Driss und die Verzweiflung erinnern könnten! Denn der ärgste Feind der Erinnerung ist das Vergessen.

Das Vergessen, wie schlecht es einem gegangen ist. Manchmal denke ich, ich hätte seit dem Anfall kaum Fortschritte gemacht und all diese endlosen Rehatherapien hätten nix gebracht außer Zeitvertreib und Quälerei. Dann ist es gut, wenn ich mit Uschi über die Zeit des Erwachens aus dem Koma spreche und darüber, wie hilflos ich damals war. Wenn ich dank ihrer Briefe nachlesen kann, dass ich mir sogar das »Leben« ohne diese Intensivstationgeräte neu erarbeiten musste! Und wie groß man eigentlich über das Wunder staunen muss, dass ich Uschi mittlerweile – wenn sie mich zu Hause besucht – selber die Tür aufmachen kann! Wer hätte das gedacht, wenn man sich mal einen der ersten Briefe anschaut, den Uschi dankenswerterweise für mich geschrieben hat:

»Liebe Gaby,

auch wenn die männlichen Mitglieder Deiner Familie »Ich + Ich« doof finden und der Auffassung waren, dass Du – wenn Du nicht im Koma gelegen hättest – mir an den Hals gesprungen wärest, wenn ich Dir die Musik auf die Ohren gedrückt hätte: Ich hab's trotzdem getan. Weil dieses Lied »Vom selben Stern« mich auf der Intensiv-Station neben Dir sitzend so sehr berührt hat. »Ich nehm' den Schmerz von Dir« – gerne hätte ich den Schmerz von Dir genommen. Und obwohl ich Deinen Herzschlag am Monitor sehen konnte und auch das Piepsen der Geräte hörte, so wusste ich dennoch nicht, ob Du mich hörst. Also nahm ich meinen iPod, stöpselte Dir und mir die Kopfhörer ein und drehte die Musik volle Pulle auf! Hast Du sie gehört?

Uschi«

Wenn ich das lese, überkommt mich eine große Dankbarkeit und Wärme. Dankbarkeit für eine Freundin, die den Schmerz von mir nehmen wollte und die mir im Auge des Sturms die Hand gehalten hat. Die versucht hat, Kontakt mit mir aufzunehmen. Auch wenn es mit »Ich + Ich« war! Und ich danke meinen Schutzengeln, dass ich den langen Weg von den Schläuchen und der künstlichen Beatmung bis zum eigenen Aufstehen, Atmen und ein bisschen Laufen geschafft habe. Natürlich weiß ich dann auch wieder, warum ich mich in der Reha abstrample. Im wahrsten Sinne des Wortes!

Natürlich fragen sich – ist ja auch normal – bestimmt viele Leser, wer von den berühmten Kollegen oder sogenannten Businessfreunden sich nicht bei mir gemeldet hat. Berechtigte Frage? Hm. Klar ist: Im Showbiz gilt immer noch die alte Regel, die schon John Lennon so treffend und unnachahmlich in einem bekannten Song geschnoddert hat: »Nobody loves you when you're down and out, nobody needs you when you're upside down!« Frei übersetzt: Keiner liebt dich wenn du am Ende bist, keiner braucht dich, wenn es dir nicht gutgeht! Und wie es bei mir war? Tja, ich will es mal so sagen: Meine Biz-Freunde, die schon lange meine Freunde waren, haben sich sehr gekümmert. Der liebe Mike Krüger, der großartige Kalle Pohl und seine tolle Frau Micha. Daniela, meine phantastische Maskenbildnerin. Mein Manager Töne Stallmeyer, sein Bruder Jonas und die Mädels im Büro haben mich nicht hängen lassen, sondern sich weiterhin rührend um alle meine Belange gekümmert. Danke dafür! Oder Hella von Sinnen und Cornelia Scheel, die so oft im Krankenhaus waren und mir die Zeit vertrieben haben mit lieben

Worten und zuweilen auch sehr spaßigen »Stadt, Land, Fluß«-Runden und einer tollen Dekoration. Ich liebe euch sehr und danke euch!

Überhaupt danke ich allen, die sich persönlich bei mir gemeldet haben. Ihr wisst schon, dass ihr gemeint seid. Und dass ihr für meine taumeligen Schritte zurück beziehungsweise vorwärts in mein neues Leben sehr wichtig wart! Lieber Thomas M. Stein, du hast meine ersten Schritte sogar selber gesehen, weil du mich auch nicht vergessen hast! Und die »Anderen« lesen diese Zeilen sowieso nicht, weil sie sich nicht für mich interessieren. Was mir natürlich die Augen geöffnet hat, wer oder was wirklich in meinem Leben noch wichtig ist und um wen ich mich nach all diesen Veränderungen noch kümmern sollte. Womit wir wieder mal bei Bob Dylan gelandet wären, der diesen Sachverhalt so schildert »I used to care but things have changed!«

Apropos Dylan – mein Mitschreiber und Bob-Fan Till Hoheneder ist mir in den letzten Jahren auch ans Herz gewachsen. Wir haben viel zusammen gearbeitet und es trotzdem geschafft, uns in diesem extrem zeitraubenden Künstlerberuf auch privat zu sehen. Was zugegebenermaßen sehr schwierig ist für einen vielbeschäftigten Autor, Künstler und vierfachen Familienvater und eine hauptberuflich mit Schlaganfallfolgen beschäftigte Autorin und alleinerziehende Mutter. Till hat natürlich eine ganz eigene Geschichte mit mir erlebt, und ich habe ihn gebeten, diese Geschichte für das Kapitel »Freunde« aufzuschreiben. Als ich sie aus seiner Ich-Form in meine »erste Person« umwandeln wollte, kam mir diese Umwandlung irgendwie sinnlos vor, und in mir wuchs die Idee, seine Till-und-

Gaby-Geschichte aus seiner persönlichen Erinnerung ganz einfach als »seine« Geschichte in dieses Buch zu integrieren. Ich fand das sehr interessant, weil ich so auch endlich mal die Möglichkeit hatte, etwas über mich aus der Sicht meines Freundes zu erfahren. Das war in jeder Hinsicht ein sehr berührendes Erlebnis, und ich bin froh über meine Entscheidung. Wenn Sie dieses Buch also aus meiner Sicht zu Ende gelesen haben, können Sie Tills Geschichte praktisch wie ein Bonuskapitel zu diesem Buch genießen! So habe ich es nämlich auch getan.

Frau Doktor verordnet Ruhe und Urlaub – Bitte!

Genau so wichtig wie meine Freunde war und ist natürlich meine Familie. Wer mich aber sehr gut kennt, der weiß auch, wie wichtig für mich das Leben in meinem Haus und vor allem auch mit meinen Tieren ist! Ich habe meine Hunde so schrecklich vermisst im Krankenhaus, und wer sich bis jetzt einige Sachen gemerkt hat, der wird sich bestimmt fragen, warum diese Hunde denn so wichtig für mein seelisches Wohlbefinden sind. Ich will versuchen, es zu erklären!

Hunde gehören zu meinem Leben wie das Atmen und Schuhekaufen! Jeder, der meinen Schuhschrank schon mal gesehen hat, wird den Ernst dieser Aussage verstehen und sich fragen, warum ich eigentlich das Atmen zuerst genannt habe! Naja – Schuhekaufen war in den letzten Jahren leider eher weniger angesagt, denn ich kann nur superbequeme Schuhe tragen und die gefallen mir meistens nicht! Dann habe ich keine Lust mehr, und das soll schon was heißen. Stattdessen bin ich kurzfristig auf Krimis umgestiegen!

Aber – zurück zu den Hunden: Ich liebe Hunde, und ich hätte eigentlich gerne so viele Hunde wie Schuhe, wenn das nicht zu noch mehr Chaos im gesamten Kösterschen

Chaos-durcheinander-drunter-und-drüber-Haushalt führen würde!

Angefangen hat alles mit einem kleinen Mischling namens Möpp. Möpp war praktisch mein Junggesellenhund und kannte – wie ich – jede Kneipe in der Südstadt, was zugegebenermaßen auch viel damit zu tun hatte, dass wir ein Bombenteam waren und ich zu der Zeit viel in Kneipen gearbeitet habe. Aber dazu kommen wir später noch. Möpp war echt ein absolutes Original und wurde deswegen auch gerne von meinen Freunden mitversorgt. Wenn ich arbeiten musste inner Kneipe, dann habe ich also schon mal eine meiner Freundinnen gebeten, mit Möpp spazieren zu gehen. Oft kamen die dann wieder und sagten: »Der Hund ist super! Ich war mit dem um die Ecke und plötzlich kommt der wieder und hat einen Zehner im Maul.« Ich weiß bis heute nicht, wie der Kleine das hingekriegt hat, aber soviel ist mal pihaupt klar: Möpp hat sich selber finanziert!

Im Jahr 1993 kam Donald, mein Sohn zur Welt und wenn ich verreist war, hat meine liebe Mutter den Hund genommen – wenn auch nicht ganz ohne egoistischen Hintergedanken. Sie wohnte nämlich in einem Mietshaus mit zehn oder zwölf Parteien, und genauso oft hat man in diesem Haus auch eingebrochen. Im Prinzip hätten die Einbrecher auch wie die Heizungsableser der Stadtwerke einen Zettel ins Treppenhaus kleben können: »Wir kommen die Tage wieder, seien Sie bitte nicht zu Hause!« Nur bei meiner Mutter wurde nicht eingebrochen, und sie führte es natürlich auf den wachsamen Hund zurück und wollte ihn gerne immer bei sich haben, weil sie sich mit dem kleinen Möpp natürlich sehr sicher fühlte! Möpp, was warst du für ein lustiger und kluger Hund! Sozusagen ein perfekter Start für meine Hundemania!

Als Donald fast zwei Jahre alt war, interessierte sich mein damaliger Mann Thomas für einen weißen Schäferhund. Der kleine Donald wollte unbedingt, dass dieser wunderschöne Hund »Eiweisspraline« heißt, aber ich fand das nicht so prickelnd. Da Thomas einen Doktortitel hat und ich fand, dass die Mädels in unserer Familie unterrepräsentiert waren, hatte ich mich für einen ganz besonderen Namen für das weiße Hundefräulein entschieden: Frau Doktor! So wurde es dann auch gemacht, und selbst mein kleiner Donald war damit einverstanden. Vielleicht sollte ich an dieser Stelle hinzufügen, dass Widerstand in dieser Sache genau so sinnvoll gewesen wäre wie 'ne Familienpackung Mon Chéri in der Betty-Ford-Klinik.

Wir hatten für Frau Doktor einen riesengroßen Weidenkorb gekauft, denn der acht Wochen alte Welpe wollte ja noch ein großer Schäferhund werden, und Donald fand den Korb so toll, dass er seinen Mittagsschlaf regelmäßig mit Frau Doktor im Korb machte. Das sah wirklich herzzerreißend süß aus, das steht aber mal hundertprozentig fest!

Als wir später in unser Haus eingezogen sind und der Hund natürlich oft im Garten rumtobte, ließ es sich nicht vermeiden, dass wir ihn mehrmals am Tag reingerufen haben. Das wiederum irritierte unsere älteren Nachbarn sehr, und so wurde ich eines Tages besorgt vorm Haus angesprochen: »Zu Ihnen muss aber auch oft der Arzt kommen!«

Frau Doktor war jedenfalls ein supertoller Hund, sie hörte »auf Blick«, man musste praktisch nix sagen. Wir konnten sie deswegen auch überall mit hinnehmen. Bei meiner Tour mit dem ersten Soloprogramm »Die dümmste Praline der Welt« war sie auch immer mit dabei. Wenn ich nach dem ersten Teil zur Pause in die Garderobe kam, stand sie meistens kurz auf und legte sich dann aber wieder schnell hin, weil sie ja aus Erfahrung wusste: Es geht gleich noch weiter, Gaby muss ja noch die zweite Hälfte spielen! Einmal hatte ich die Garderobentür wohl nicht richtig verschlossen, was zu einem kleinen Malheur führte. Ich stand auf der Bühne und bemerkte etwas konsterniert, dass das Publikum die Köpfe wie beim Tennis hin und herdrehte. Das konnte ich mir nicht wirklich erklären und nach einer internen Gedenkminute drehte ich mich um. Vielleicht hatte der Hallenhausmeister ja schon mit dem Aufräumen angefangen ... Ich drehte mich also um und sah nur noch etwas Weißes schnell hinter dem Vorhang verschwinden. Da war Frau Doktor wohl mal kurz meiner Stimme nachgegangen und hatte nachgeschaut, ob auch alles mit mir in Ordnung war. Da war aber Spaß inner Bude, das könnt ihr aber glauben! Das Publikum war natürlich von unserem kleinen Familienauftritt sehr begeistert!

Und unsere Hunde-Familie wuchs auch ständig, teils mit Absicht, oder ich habe etwas nachgeholfen!!!! Als ich mal zu Ostern meinen Freund Kalle in Spanien besuchte, ging ich zu DUO, einer Tierschutzorganisation und stieß dort auf meinen nächsten Hund: »Tussi.« Furchtbare Menschen hatten diesen kleinen Hund in einer Plastiktüte an den Tierschutzzaun gehängt – unglaublich, oder? Sie war noch klein und konnte nicht in eines der Gehege, weil sich dort hauptsächlich größere Familienhunde und auch

Kampfhunde befanden. Ich fand sie sehr süß und mein weiches Mutterherz fing gleich an, den Babyhabenwollenbeat zu trommeln! Wobei mir von Anfang an klar war, dass Tussi ein Luder ist! Schätze mal, dass sie in Spanien über die Dörfer gezogen ist und sich sehr oft in Cafés rumgetrieben hat, denn Tussi liebt Kaffee und Süßes. Das wurde mir aber erst klar, als wir wieder zu Hause waren. Ich machte mir eines Morgens einen Kaffee und setzte mich mit der Tasse auf die Treppe zum Garten, um den wundervollen Sommermorgen zu genießen. Und wie ich da so mit geschlossenen Augen die Morgensonne in mein holdes Anlitz strahlen und Karel Gott 'nen guten Mann sein ließ, hörte ich plötzlich neben mir ein genussvolles Schlabbern und Schlecken! Seitdem weiß ich, dass Tussi eine gute Tasse Kaffee über alles liebt. Aber dass unsere Senorita auch einen extrem süßen Zahn hat, wussten wir erst nach dieser Begebenheit: Auf meinem Schreibtisch stand eine opulent gefüllte Bonbonschale, die ich kurzfristig auf dem Boden hatte parken müssen, weil ich Platz brauchte. Als ich mit meiner Arbeit am Schreibtisch fertig war, wollte ich die Schale wieder hochholen, was sich aber eigentlich nicht wirklich lohnte, denn sie war in der Zwischenzeit ratzeputz leergefegt worden! Ich hatte als unsensible Mutter natürlich Donald im Verdacht und meinte vorsichtig zu ihm, dass das ja wohl leicht übertrieben wäre, die ganze Schale zu verputzen! Tief gekränkt und mit dem Trauerblick eines frisch geschrubbten Fischkutters sagte mein armes Kind: »Menno, ich war das nicht! Unverschämtheit!!!!« Gut, da ich es auch nicht gewesen war – wer denn dann? Tussi hatte zu dem Zeitpunkt ein Hundekörbchen in Form eines Zirkuszeltes, Donald guckte hinein, und ganz hinten in der Ecke war das ganze Bonbonpapier unter der innen liegenden Kuscheldecke versteckt! Damit war der Fall natürlich zur großen Freude und Genugtuung von Kommissar Donald gelöst worden: Tussi, die alte Diebin war es also gewesen!!!!! Und so hält sie uns bis heute auf Trab, das Luder, 'ne echte Tussi halt. Aber wo zwei Hunde satt werden, da … da kam mir irgendwann der Gedanke, unser nächster Hund müsste unbedingt »Taxi« heißen, da ich die Vorstellung, im Park zu stehen und laut »Taxi, hierher« zu rufen, sehr lustig fand. Dieser Gedanke ging mir nicht mehr aus meinem Kopf, und beim nächsten Osterurlaub auf Ibiza schaute ich mal »rein zufällig« beim Tierarzt im Dorf vorbei. Dort hing – ich konnte es selber kaum glauben – ein Aushang für einen kurzbeinigen Rüden, der sogar schon Taxi hieß! Wenn das mal kein Zeichen war! Und da ich der strikten Ansicht bin, dass solche Zeichen nicht ignoriert werden dürfen, hatten wir praktisch auch schon gar keine andere Wahl mehr, als Taxi mitzunehmen!

Taxi war anfangs ein ziemlich wilder Gefährte gewesen, aber da zu Hause ja ausschließlich Mädels waren, stand uns ein »Macho-Problem« ins Haus. Vorsichtshalber – man weiß ja, dass gerade spanische Hombres extrem anfällig sind für die große Mucho-Cojones-Rundfahrt – schnappte ich mir Taxi, legte mich mit dem kleinen Fell-Banderas aufs Sofa und sagte ihm: »Wenn du bei uns bleiben willst, Amigo, dann benimm dich anständig und bleib locker!« Was soll ich sagen? Von da ab gab es keine Machoprobleme mehr! Das ist es ja, was ich immer predige: Männer brauchen konkrete Ansagen wie Käpt'n Iglo den Bootsführerschein! Seitdem ist Taxi so locker wie ein Kilo Waffelbruch und – wer hätte das gedacht? – sogar unser Reisehund geworden! Er kommt immer mit nach Ibiza und gerne auch auf Tour, wenn ich mal in einer anderen Stadt übernachten muss. Denn ohne Hund kann ich nicht so gut schlafen, da fehlt mir einfach was!!

Wer jetzt glaubt oder sogar denkt, dass es nun aber doch eigentlich reichen müsste mit den Viechern, der hat sich aber getäuscht wie Kommissar Derrick bei seinem schlimmsten Fall »Die Killeranaconda in der Handysocke«, als Harry endlich mit dem Wagen vorgefahren war, den er doch angeblich nie gefahren hat … äh, Entschuldigung, ich schweife ab!

Ich könnte jetzt natürlich noch ausführlichst erklären, wie ich an meine Hunde »Ruhe« und »Bitte« gekommen bin, aber dann komme ich wahrscheinlich selber zu sehr durcheinander, und deswegen erzähle ich nur noch, wie wir zufällig, planmäßig zu unserem bisher letzten vierbeinigen Familienmitglied gekommen sind.

Es geschah im Winterurlaub 2006 an Silvester: Auf dem Flohmarkt in Ibiza drückte man uns plötzlich einen Labradorwelpen auf den Arm, acht Wochen alt, ein laufendes Wasserbett! Er war ja noch klein, und sein Fell war ihm noch fünfzehn Nummern zu groß und schepperte beim Laufen immer hin und her! Wir nahmen ihn mit und nannten ihn »Urlaub«. Ob ich verrückt bin? Erlauben Sie mal! Ja, um Himmels willen, was hätte ich denn machen sollen? Einfach wieder demjenigen zurückgeben, der mir das Tier auf den Arm gesetzt hat? – Ja, wie ja? – Nein! Dann hätte ich ihn ja nicht behalten können! Mein Gedanke dabei war, dass Frau Doktor, die mit ihren elf Jahren noch sehr fit war, ihn miterziehen könnte.

Machte sie auch, aber leider nicht mehr so lange, wie ich

es mir gewünscht hätte. Vielleicht war Frau Doktor aber auch einfach nicht mehr stark genug. Ende März 2007 war ich ausgiebig mit ihr auf der Rennbahn spazieren gewesen, und als wir wieder zu Hause waren, legte sie sich unter den Küchentisch, ihren Lieblingsplatz und hechelte. Klar, nach dieser Wanderung, das war soweit normal, doch in dem Atmen klang noch ein Rasseln mit, das fanden wir nicht normal. In der Nacht hat sie eigentlich gut geschlafen, am nächsten Morgen war dieses komische Rasseln leider immer noch da, also gingen wir zum Tierarzt. Der Arzt wollte das Tier erst mal röntgen, also gingen wir in das dafür vorgesehene Zimmer, doch Frau Doktor wollte alleine nicht ruhig liegen bleiben. Ich ging mit, sie folgte mir und blieb dann auch ruhig liegen. Mein Gott, dieser Hund war einmalig, er vertraute mir blind, und während ich das schreibe, laufen meine Augen wieder mit dicken, schweren Tränen voll und wollen nicht aufhören, mir die Wange runterzulaufen, weil ich verdammt nochmal schon weiß, wie es weitergeht. Ich wusste instinktiv, dass damals die ganze Sache nicht gut verlaufen würde. Ich wollte aber nicht wahrhaben, was ich in mir spürte, weil meine Liebe zu dem Tier so groß war. Es ist doch eigenartig. Menschen und Tiere werden geboren, um zu sterben. Das ist unausweichlich. Aber wir wollen oft keinen Gedanken daran verschwenden, dass der Tod normal ist. Einfach dazugehört. Ich habe einen Hund und müsste doch rein rechnerisch wissen, dass nach etwa zwölf Jahren dieser Hund sterben wird. Aber das habe ich natürlich komplett ausgeblendet. Weil ich – wie viele andere Menschen wahrscheinlich auch – den Tod vom Leben ausschließen möchte. Was verständlich ist, aber auch zeigt, dass wir so niemals lernen werden, den Umgang mit dem Abschied vom Leben zu lernen und zu verstehen. Ich liebe dieses wunderschöne Lied von George Harrison »All things must pass!« Es ist so melancholisch und doch nicht resignierend. Der gute George brauchte auch gar keine drastischen Bilder, um uns zu vermitteln, dass nichts für immer und ewig ist. Ihm reichen Tag und Nacht, Sonnenauf- und -untergang für die Vergänglichkeit des Lebens.

All things must pass
All things must pass away
All things must pass
None of life's strings can last
So, I must be on my way
And face another day

Ja, so ist es. Wir sind alle nur auf dem Weg in die Vergänglichkeit von dem Augenblick an, an dem wir das Licht der Welt erblickten und unseren ersten tiefen Atemzug nahmen. Damals, in dieser Umgebung habe ich keine Zeit gehabt für diese Überlegungen. Verzweiflung, Angst und Panik lassen nur wenig Spielraum für Vernunft, Loslassen und einen ruhigen Abschied. Schon gar nicht – oder noch seltener, wenn man jung ist und so emotional wie ich. Ein Bekannter von mir ist Psychologe und hat mal gesagt: »Menschen, die schon mal beim lieben Gott angeklopft haben, werden nie wieder so sein wie vorher.« Ich fand das erst sehr negativ, aber ich glaube, es ist doch eher positiv gemeint. Ich deute es so, dass wir schon mal den Tod geprobt haben und somit einen Teil der Todesangst bewältigt haben. Aber wie gesagt, damals, in dieser Praxis stieg das nackte Entsetzen in mir auf, als der Arzt mit dem Ergebnis des Röntgenbilds zu mir kam.

Auf dem Bild konnte man nichts Genaues mehr erkennen, da der ganze Körper und die Lungen schon voller Wasser waren! Frau Doktor bekam sofort eine Infusion, sie lag auf einer Decke am Boden, und ich legte mich neben sie und musste schon die ganze Zeit weinen. Sie war inzwischen elf Jahre alt, und ich hatte vorher schon gedacht: Wenn ihr mal was passiert, drehe ich durch. Wir waren eine Einheit, sie hat immer gespürt, wenn es mir schlecht ging und war dann immer sofort bei mir. So lagen wir also gemeinsam am Boden, sie an der Nadel und ich weinend daneben. Zwischendurch musste ich mal raus, die Infusion sollte entwässernd wirken, und als ich wieder in die Praxis kam, sagte der Arzt, er wolle eine Drainage legen, um das Wasser aus dem Körper zu bekommen. Es kam auch ein bisschen Flüssigkeit heraus, aber das half alles nix, es wurde nur alles noch schlimmer. Der Arzt fühlte nach einiger Zeit auch noch einen Tumor an ihrem Herzen und sagte, es sähe gar nicht gut mit Frau Doktor aus. Der Subtext war freilich ein anderer und ich ahnte, was unausweichlich auf uns zukam. Ich war völlig hilflos, der Hund lag an Schläuchen, und ich dachte mir, ich muss unbedingt Donald anrufen. Er wollte sich sicher auch verabschieden, die beiden waren doch zusammen aufgewachsen, und er liebte diesen Hund genauso wie ich! Ich rief ihn schnell an und sagte, es sähe nicht gut aus mit Frau Doktor, sprang ins Auto und holte ihn ab, denn der Arzt hatte mir geraten, dass es wirklich besser wäre, Frau Doktor von diesen fürchterlichen Qualen zu erlösen, denn es war kaum noch Leben in ihr. Donald und ich befreiten sie von den ganzen Schläuchen, dankten ihr innig und wünschten ihr eine gute Reise. Die hatte sie dann wohl auch, denn als ich im Koma war, habe ich sie ja – Sie erinnern sich – auf einer grünen Wiese rumtollen sehen!

An dem Tag ihres Todes waren wir fix und fertig, und am Abend hatte ich auch noch einen Auftritt vor 1500 Menschen. Ich wusste überhaupt noch nicht, wie ich das schaffen sollte: Von der Heulerei hatte ich die Augen 'nen Meter vorm Kopf stehen, und weil ich selber so furchtbar traurig war, konnte ich mir nun mal gar nicht vorstellen, so viele Menschen zum Lachen zu bringen. Aber absagen konnte ich irgendwie auch nicht, weil die Leute sich doch eine Karte gekauft hatten und sich auf einen schönen Abend freuten ... und vielleicht auch extra einen Babysitter bestellt hatten oder was weiß ich? Vielleicht waren auch einige todtraurig wie ich und freuten sich, endlich mal einen lustigen Abend mit mir zu haben, weil sie einfach mal wieder unbeschwert lachen wollten? Nein, absagen kam auch nicht in Frage! Also fragte ich Donald, ob er Lust hatte mitzukommen. Wie früher, als er und Frau Doktor auch immer dabei gewesen waren. Donald kam mit und der Abend war supersensationell! Das hätte ich nie gedacht, dass ich es hinbekommen würde, aber es funktionierte. Unglaublich. Frau Doktor, die erfahrene Tourhundspezialistin hat bestimmt kräftig mitgeholfen. Vor dem Nachhausekommen hatten wir beide dann noch mal richtig Angst, weil sie nicht, wie sonst immer üblich, zur Begrüßung an die Tür kommen würde. Als wir diese Klippe auch noch umschifft hatten, ging Donald schnurstracks ins Bett, und ich trank erst mal einen doppelten Schnaps!!! Ich habe doch sehr über mich selbst gestaunt: Was man alles kann, wenn man will und wenn man muss! Da klettert man doch auf manchen unbezwingbar geglaubten Gedankengipfel!

Frau Doktor bekam jedenfalls eine schöne Beerdigung und liegt im Garten, mit Blick auf ihre geliebte Rennbahn! Meine Freunde Ricky und Erwin hatten extra einen Sarg für sie gebaut und sie besonders tief eingegraben, damit die Füchse sie nicht wittern konnten. Ich bin sehr froh, dass sie so nah bei uns ist.

Also, ich glaube, eins ist nach diesem Kapitel so klar wie Kloßbrühe: Ich liebe Hunde einfach wie jeck! Ich danke an dieser Stelle meinen sämtlichen Nachbarn für ihre Geduld. Wir sind echt ein Chaoshaufen: Mutter mit Schlaganfall, Sohn in der Pubertät, fünf Hunde. Ohne die Mum, die dazwischen auch noch rumwieselt, geht gar nix!

Urlaub und Bitte schlafen auf eigenen Wunsch in Donalds Zimmer und Tussi, Taxi und Toffeefee in meinem Bett. Ja, da können Sie sich auch gerne und überhaupt viele drüber aufregen, das interessiert mich gar nicht! Ist doch herrlich: Sonntag, draußen Schnee oder Regen … ein gutes Buch und die Hunde mit im Bett … ne, wat is dat gemütlich …!

Schräge Vögel in der Südstadt

In der Klinik habe ich etwas wiederentdeckt, was mich sehr an meine Arbeit in den Kneipen der Südstadt erinnert hat. Nämlich Leute beobachten, ihre Sprache und ihr Verhalten aufsaugen wie ein Schwamm. Ich kann mir jeden noch so kleinen Tick oder jede noch so kleine Gesichtsmimik beim Sprechen meines Gegenübers merken. Das war immer wichtig für die Figuren, denen ich in meinen Bühnenprogrammen oder als Schauspielerin eine besondere Note geben wollte. Angefangen hatte das schon in meiner Kindheit, aber so richtig aufgeblüht und entwickelt hat sich diese Eigenschaft in der Zeit, als ich in Kneipen gearbeitet und praktisch gewohnt habe.

Die Kneipenzeit in den achtziger Jahren war eine sehr heftige Zeit gewesen, aber auch sehr schön! Ich habe geschuftet wie eine Pikloppte, aber ich habe auch gefeiert wie hulle! Ich habe in dieser Zeit praktisch alles gelernt, was ich später für meinen Beruf brauchte. Das Witzige ist nur, dass mir das selber jahrelang gar nicht klar war, dass diese Zeit praktisch meine Lehrjahre gewesen waren! Alle diese schrägen Vögel, diese für den Normalo verrückten, aber mit der Zeit für uns verrückt normal gewordenen Existenzen mit ihren Spleens und Eigenheiten! Die gebrochenen und traurigen Menschen, die nur in den Kneipen der Südstadt ein Zuhause und eine Art Familie hatten, aber ansonsten auf der Straße lebten. Die Künstler, die Studenten, die Malocher, die Säufer, die Druggies, die Prolls, die Irren – in der Kneipe sitzen sie alle am gleichen Tresen, und wenn man wie ich die Ohren immer auf Empfang hatte, dann konnte man gar nicht vermeiden, dass sich diese Freaks und ihr Verhalten inklusive Sprachschatz irgendwie auf die hauseigene Festplatte brannten. Und obwohl ja nun gerade meine Festplatte wirklich versucht hatte, diverse Daten unaufgefordert zu stornieren, ist es ihr nicht gelungen, diese so prägende Zeit aus meinem Datenspeicher zu löschen. Das Einzige, was mir aufgefallen ist, war: So richtig zeitlich genau kann ich alles nicht mehr einordnen, aber das liegt nicht am Schlaganfall, das konnte ich auch vorher nicht so wirklich dolle. Ich glaube, es ist zum einen der Suff gewesen (nein, ich war kein Alk), denn wir haben fast täglich unsere Existenz gefeiert! Vor allem aber auch mit viel Vehemenz! Und zum anderen habe ich manchmal das Gefühl, dass diese Zeit zu einem großen Block zusammengeschmolzen ist, damit sie in der Erinnerung wie ein einziger Tag in der Kneipe vorbeizieht. Sonst müsste ich mich am Ende noch fragen, ob ich mir nicht das eine oder andere harte Jahr hätte sparen können. Quatsch! Et kütt wie et kütt, und ich wäre nicht die Köster geworden ohne den Wahnsinn in dieser wahnsinnigen Kneipenzeit. Mein loses Mundwerk wurde in dieser Zeit natürlich auch bestens geschult, denn wenn du nicht für alle Begebenheiten einen guten Konterspruch hattest, konntest du gleich einpacken. Zechpreller, wütende Taxifahrer, aufdringliche Machodreibeiner, abgestürzte und verlassene Ehemänner und die Ultrabesoffkis, die nicht gehen wollten – für alle musste man den richtigen Code finden. Frech, aber nicht unverschämt. Unverschämt, aber nicht bösartig. Resolut, aber nicht verletzend. Witzig, aber nicht beleidigend und verhöhnend. Der Grat, auf dem ich mich da bewegt habe, war oft auch schmal und sehr gefährlich, denn der alkoholisierte Mensch ist so schwer einzuschätzen wie Käpt'n Ahab beim Gummitwist. Und wenn so ein drietendicker, vollgelaufener, zwei Zentner schwerer Kernasi auf Krawall gebürstet war, dann passte man besser auf, dass Herrn Silberrücken nicht die Sicherungen rausflogen. Was war das für eine pikloppte Zeit. Stürzen wir uns also gemeinsam kopfüber hinein in den verrückten, unglaublichen, kneipennikotinluftgeschwängerten Erinnerungsnebel der Südstadt.

Anfang der achtziger Jahre habe ich mich zwar sehr ernsthaft mit vielen Dingen beschäftigt, die mir unbändigen Spaß gemacht haben, von denen ich aber leider nicht leben konnte. Zum Beispiel Malen oder Musik machen. Ich habe mir ewig lange den Kopf zerbrochen, wie ich das anstellen könnte. Damit ich wenigstens tagsüber diese wundervollen Dinge machen konnte, dachte ich mir (schon etwas naiv, gebe ich ja zu), dass ich ja dann abends ein bisschen Kohle in einer Kneipe mit Kellnern verdienen könnte, damit ich was zu beißen gehabt hätte. So entstand also die Idee mit dem Kneipenjob: als Wohn- und Essbeschaffungsmaßnahme. Aber wie bekommt man überhaupt den ersten Kneipenjob? Ganz einfach: Indem man volldreist behauptet, man habe das schon mal gemacht, natürlich! In meiner Stammkneipe, dem »Out« in der Südstadt war leider aber man gar nix frei, also versuchte ich es leicht angesäuert anderswo. Und so kam ich schlussendlich zu meinem ersten

Kneipenjob in der WUNDERTÜTE. Das Publikum war anders als in meinem OUT, aber erst mal war das schon okay, und hin und wieder hat sich ja auch mal jemand von den Out-Gästen dorthin verlaufen, was ich natürlich sehr begrüßte!

In der Nacht versammelten sich dort meistens viele Taxifahrer und andere Nachtarbeiter. Ich war immer heilfroh, wenn ich noch schnell nach Schichtende ins Out konnte, denn das war wirklich meine Heimat, mein Wohnzimmer, mein heiliger Rasen! Und wie es eben manchmal so ist im Leben, schlug das Glück eine beidhändig servierte Vorhand mitten in mein Gesichtszentrum, denn eines Abends kam ich da hin und ein Mitarbeiter war nicht zur Schicht gekommen. Natürlich bin ich mit einem doppelten Rittberger freudig eingesprungen und hatte somit endlich den heißersehnten, neuen Job in meinem geliebten Out-Wohnzimmer. Durch meine häufigen Besuche wusste ich ja sowieso schon, wo alles stand! Yippiiieeehhhh!!! Ich war der glücklichste Mensch der Welt, ich war so happy wie Mutter Beimer nach einer frischen Brusthaarrasur! Rosi, die Besitzerin der Wundertüte fand das zwar noch lang nicht so gut wie ich, sie war sogar richtig sauer, glaube ich, aber das war mir drissegal. Heute, glaube ich, Rosi war immer etwas krabitzig drauf, weil sie eifersüchtig auf das Out war. Der Laden brummte wie Bruno, der Problembär, und die Leute dort lagen mir einfach mehr als das teilweise zu verschnarchte Publikum in der »Tüte«. Im Out fühlte ich mich einfach sehr, sehr gut!!!

Die erste Schicht begann meistens mit Kneipe putzen, und um 16.30 Uhr wurde dann aufgemacht. Die zweite Schicht fing um 20.30 an und ging bis zum Schluss um

1 Uhr und löste die erste Schicht ab. Die dritte Schicht startete um 22.30 Uhr und lief – na klar – auch bis zum Schluss um 1 Uhr. Ich kann mich gar nicht beruhigen, und ich weiß nicht, ob ich es schon mal so direkt und einfach in diesem Kapitel gesagt habe: das war eine tolle Zeit! In der Nähe des Outs befand sich eine psychiatrische Tagesklinik und der eine oder andere Insasse verlief sich auch schon mal beim Ausgang in unsere Kneipe. Das waren die härtesten Typen! Freitags kam oft einer mit mindestens zehn Hüten auf der Rübe, der wollte uns immer allen Ernstes die »wirklich richtigen sechs Lottozahlen« für fünf Mark verkaufen. Tolle Idee, obwohl sie verkaufstechnisch wirklich kein großer Hit war, sehr zu seiner Überraschung, leider!

Fuzzy Jones war zwar keiner aus der Klinik, aber auch so ein gestrandetes Freakexemplar von der Straße. Er schleppte immer zwei Alditüten mit sich rum, in denen Hamburgerpapierchen klitzeklein zusammengefaltet waren. Was er damit angefangen hat, weiß ich bis heute nicht, komischerweise hat ihn auch nie einer von uns danach gefragt. Ein anderes Verwirrtenexemplar hatte sich ein Stromkabel um die Hand gewickelt und lief permanent damit durch die Gegend. Warum, wusste ich auch nicht, aber es war bestimmt sehr wichtig. Das Beste war allerdings, dass der mit dem Stromkabel behauptete, dass der andere mit seinen Hamburgertüten »sie ja wohl nicht alle auf dem Baum« hätte und »komplett neben der Spur« wäre! Herrlich verrückt, wie heißt es doch immer so schön: Selig sind die Bekloppten, denn sie brauchen keinen Hammer!

Zu der Zeit wohnte ich im Hinterhof auf der Alteburgerstraße, dort bin ich nach meinem WG-Desaster hingeflüchtet. Die WG war echt nichts für mich, denn die Typen, die ich abends als Letzte aus dem Out rausgeschmissen hatte, traf ich dann dank meiner liebreizenden und fürsorglichen Mitbewohnerin schon morgens wieder komplett verdengelt am Frühstückstisch wieder. Darauf konnte ich echt sehr gut verzichten, das braucht man ungefähr so dringend wie ein Stück Schokolade im Hintern. Als ich dann noch zu allem Überdruss mehrfach meine Lieblingsklamotten auf der Straße traf, nur mit anderen Leuten drin, hatte ich die Nase gestrichen voll und suchte mir eine eigene, kleine Wohnung in der Südstadt. Der gute Fuzzy Jones lebte, wie schon erwähnt, auf der Straße, und im Winter habe ich nachts oft die Haustüre angelehnt, damit Fuzzy reinkommen konnte. Von meinem Hinterhof gab es eine kleine Treppe zum Keller, der noch einen Vorraum hatte, und deswegen war es dort nicht so erbärmlich kalt. Ich hatte noch ein altes Sofa hingestellt, Fuzzy brachte dann sogar irgendwann noch eine alte Stehlampe mit und konnte dort wenigstens »in seiner Bude« trocken schlafen. Wahrscheinlich nannte er mich deshalb immer »Lady«, glaube ich! Er hat mir auch mal aus der Hand gelesen und »gesehen«, dass ich mal im Rollstuhl sitzen würde. Damals war ich erst mal völlig geschockt, logischerweise, aber ich habe es natürlich abgetan als das verrückte Geschwafel eines armen Kerls. Wer hätte geahnt, dass Fuzzys Prophezeiung einmal wahr werden würde? Ich nicht, aber ich sage es ja: Man weiß nie nichts und das auch auf keinen Fall sehr genau. Jawoll.

Was für eine chaotische Zeit! Heute frage ich mich oft,

wann ich eigentlich geschlafen habe damals, denn nach dem Feierabend im Out sind wir dann meistens noch durch die Südstadt getigert und haben geguckt, wo noch was »auf und los« war, und dann ging es oft bis zum Morgengrauen einfach weiter.

So verbrachte ich in den nächsten zehn Jahren meine Zeit in der Südstadt, und während ich gerade so darüber nachdenke, fällt mir komischerweise ein, dass ich in den Wintermonaten meistens kein Tageslicht gesehen habe, weil es vor der Arbeit meistens schon dunkel war und hinterher sowieso. Komischer Aspekt. Da habe ich vor 30 Jahren überhaupt keinen Gedanken dran verschwendet, heute fände ich es unerträglich. Da hat der Herr Dylan schon das passende Lied zu gedichtet: »The times they are a-changin'«! Manchmal bin ich nach der nächtlichen Kneipentour direkt in die schon geöffnete, gegenüberliegende Bäckerei, um frische Brötchen zu holen. Durch den verbliebenen Restalkohol in meiner Blutbahn hat es sich manchmal ergeben, dass mir in der bereits überfüllten Bäckerei, neben adrett gekleideten Chefsekretärinnen das Portemonnaie aus der Hand fiel und ich niederknien musste, um mein herumrollendes Kleingeld aufzuheben. Das war nicht so schön, wenn die aufgetakelten Dämlichkeiten herablassend auf mich runterblickten. Da fühlte ich mich etwas aschenpuddelig, rettete mich aber, indem ich mir dachte: So, Fräulein Nasehoch, ihr müsst jetzt stundenlang im Büro sitzen, und ich geh jetzt erst mal lecker inne Poofe! Alles hat eben Vor- und Nachteile. Leider hatte ich sehr viel mit finanziellen Nachteilen zu tun, und es graute mir vor etlichen Mistrechnungen, von denen ich mal gar nicht wusste, wie ich die stemmen sollte! Die liebe Nebenkostenabrechnung zum Beispiel spülte sehr viel Kohle aus meiner Täsch, und ich entschloss mich notgedrungenerweise, parallel in mehreren Kneipen zu arbeiten, quasi rund um die Uhr. Damit was zum Futtern übrigblieb, kleidete ich mich bei »Urban« ein. Im Sommer machte ich dann zusätzlich noch Flohmarkt, das frühere Ebay praktisch. Harte Zeiten, aber ganz ehrlich: Ich liebte mein Leben und gab mir Mühe, alles hinzukriegen. Krank sein ging natürlich mal gar nicht, weil wenn krank, keine Kohle und wenn keine Kohle, dann …!

Vom Out ins Radio

Eines Tages kam der Kabarettist Jürgen Becker in mein Out-Wohnzimmer. Ich kannte ihn zu dem Zeitpunkt überhaupt nicht und war mir nicht sicher, ob er einen an der Waffel hatte, denn er saß immer in einer Ecke, schrieb und kicherte leicht irre vor sich hin. Für mich war also klar: Der muss ja wohl auch aus der Tagesklinik sein, so wie der sich verhielt! Wenig später hatte das Out große Probleme mit der Nachbarschaft wegen Lärmbelästigung. Also spielten wir keine Musik mehr, sondern nur noch Brunftgesänge der Buckelwale, Reden von Heinrich Lübke oder Pippi Langstrumpfhörspiele. Da es so was wohl bisher in keiner Kneipe gegeben hatte, war die Hütte bald darauf noch voller als rappelvoll, und das Fernsehen wurde auf uns aufmerksam. Und ausgerechnet jener Jürgen Becker, der da immer saß, schrieb und kicherte, machte einen Bericht für die WDR-Sendung »hier und heute«! Er wollte ein Interview, aber meine Chefs wollten nicht vor die Kamera und fragten mich. Und ich machte es! Ich muss wohl sehr lustig gewesen sein, denn Jürgen Becker fragte mich nach dem Interview, ob ich nicht auch mal Nummern für seine diversen WDR-Radiosendungen schreiben wollte. Wollte ich zwar schon, aber ich hatte auch große Angst, dass meine Sachen nicht gut genug sein würden. Aber der gute Jürgen war geduldig und hartnäckig, und irgendwann hab' ich mich dann doch getraut, weil er immer wieder hartnäckig nachfragte, ob ich denn schon was geschrieben hätte. Ich fühlte mich dann immer »erwischt« wie früher in der Schule, wenn ich die Hausaufgaben nicht gemacht hatte. Ich schrieb alle meine ersten Sachen auf meiner ollen Reiseschreibmaschine, unter die ich immer ein feuchtes Tuch legen musste, weil sie sonst auf dem Tisch herumgehüpft wäre. Jürgen fand die geschriebenen Nummern gut und sagte sehr resolut, dass wir die jetzt im Studio aufnehmen würden und der ganze Kladderadatsch dann nächste Woche gesendet werden würde. Ich dachte: Wat solls, sind eh alle pikloppt, Studio, jaja sicher im Radio gesendet und tralala!

Gesagt, getan: Wir nahmen also alles auf und nächste Woche in der Sendung sollte es gesendet werden. Da ich aber am Ausstrahlungstag arbeiten musste, tauschte ich meinen Dienst mit einem Kollegen und baute mich abends mit einem Piccolöchen auf meinem Teppich vor dem Radio auf. Ich weiß noch, es war Donnerstag und tatsächlich, meine erste Nummer wurde wirklich gesendet. Ich konnte es kaum fassen und war überglücklich und stolz! Später gingen wir dann nicht mehr ins Studio, sondern sprachen alles live »on air« ein. Das war schon komisch, denn man wusste, dass Leute am Radio saßen und zuhörten, aber es gab im Studio natürlich keine Resonanz auf den Spaß, den man sagte! Sehr gewöhnungsbedürftig, aber es machte jede Menge Spaß!

Später machte ich auch selber Radio-Sendungen, auch mit Kalle Pohl. Wir hatten jede Menge Spaß, und ich habe viel lernen dürfen beim Herrn Becker! Wir stellten auch selber die Musik zusammen, das machte mir auch viel Laune, alles war schön sorgfältig auf die Sketche abgestimmt. Heute gibt es das so nicht mehr, denn heute gibt es fertige Playlisten, und die Moderatoren lesen mehr Staus als Beiträge vor, leider!!! Jürgen und ich schlüpften oft in verschiedene Rollen und endlich hatte ich das untrügliche Gefühl: Jetzt weiß ich endlich, was ich machen möchte! Warum habe ich das nicht schon eher gemacht? Aber selbst wenn ich vorher gewusst hätte, dass das so viel Spaß macht, wo hätte ich hingehen sollen? Wen hätte ich fragen sollen? Keine Ahnung!

Jürgen Becker nahm mich später auch mit zur berühmten Kölner Alternativ-Karnevalsprunksitzung, der legendären STUNKSITZUNK! Dort lernte ich meinen späteren Mann und den Papa von Donald, Herrn Dr. Thomas Köller kennen, den Regisseur der STUNKSITZUNK.

Ich habe vielen Menschen beruflich viel zu verdanken. Aber für den Anfang und Einstieg danke ich besonders dem hartnäckigen Jürgen Becker! Und meinem Freund Kalle Pohl, mit dem ich auch viel Quatsch »im Radio« gemacht habe. Wir ergänzten uns gut beim Schreiben von Sketchen mit Thomas, Georg Bungter (ebenfalls Redakteur und späterer Hörfunkchef) und Hilmar Bachor (damaliger Redakteur beim Hörfunk), der mir jungem Huhn auch ohne Doppel-Korn vertraute und mich ans Mikrophon ließ! Im Nachhinein ging es so gesehen für mich direkt von der Kneipe ins Showgeschäft. Angesichts der vielen Säufer, die das Showgeschäft wie eine Kneipe betrachten, wiederum auch nicht so ungewöhnlich.

Ich habe diese Zeilen über meine Kneipenzeit sehr oft gelesen und mich wirklich ernsthaft gefragt, ob das alles wirklich so wa(h)r oder ob vieles nicht auch schon eine liebgewonnene, beschönigte Wahrheit ist. So eine Art Feuerzangenbowlenromantik. Machen wir uns nichts vor, die bösen Erinnerungen schließen wir oft genug tief in die große Kiste des Vergessens, damit sie uns nicht bei erstbester Gelegenheit den Blick in die glorreiche Vergangenheit versauen. Vielleicht war es ja gar nicht so toll, wie ich immer denke und erzähle. Neigen wir nicht alle dazu, Geschichten auszuschmücken und lustiger zu machen, als sie waren?

Auf der anderen Seite: Wie soll man all die Wunden und Verletzungen, die Entbehrungen sonst verarbeiten? Nach der Geburt denkst du: Hölle, das war's! Das werde ich mir nicht noch einmal geben. Was für Schmerzen. Und schon ein Jahr später ist das alles oft so abstrakt und weit weg verdrängt. Und ich frage mich schon jetzt, ob mir das vielleicht auch mal so mit dem Schlaganfall gehen wird? Werde ich mich soweit erholen und regenerieren, dass mich nur noch ein paar physische Handicaps an diese Zeit erinnern werden? Schreibe ich dieses Buch, um mich daran zu erinnern, wie heftig die Schmerzen waren? Seelisch und körperlich? Und obwohl ich versuche, so wahrhaftig, offen und pur wie möglich zu schreiben, versuche ich doch auch jetzt schon gleichzeitig, Sie auch zum Lachen zu bringen. Weil wir nicht nur über die Vergangenheit weinen können. Wir müssen auch das Gute aus dem Schlechten ziehen. Wenn man Scheiße gefressen hat, ist das traurig und schlimm. Aber das Gute ist: Man weiß auch defintiv, wie sie schmeckt. Ich kann durch das Elend, was mir widerfahren ist, auch das Pseudoelend ein bisschen besser erkennen. Wobei es mir schwerfällt und ich mich eigentlich weigere, Elend miteinander zu vergleichen. Was ist schlimmer: Pest oder Cholera? Ja, wie »Sie haben überlebt«? Dann ist ja gar nichts schlimm, wenn Sie noch leben! Meine Lieblingsaufregersprüche: »Da haben Sie aber Glück, dass Sie noch leben!« – »Im Vergleich zu Herrn XY sind Sie ja noch ein Glückspilz«! – »XY, das ist ein armes Schwein, der ist nur noch ein sabbernder Lappen!« – »Jetzt seien Sie aber mal schön glücklich!« Das kennt man ja noch so ähnlich von früher, aus der Kindheit. Wenn Mutti mit Blick auf die Essensreste auf dem Teller tadelnd, mit bebender Stimme und vorwurfsvoll geschürzter Oberlippe greinte: »Die armen Kinder in Afrika wären froh, wenn sie was zu essen hätten.« Geschenkt. Aber als Kind konnte man sich das beim besten Willen nicht vorstellen – und man hätte seine Schokolade darauf verwettet, dass selbst ein armes Kind in Afrika auf jeden Fall diese ekelige Erbsensuppe in hohem Bogen ausspucken würde. Und so überlegt man wieder von vorne: Wie war das eigentlich wirklich? Lecker oder nicht? Lustig oder traurig, schmerzhaft oder unerträglich? Wahr oder eher wahrscheinlich? Nun, ich glaube, dass das eines der wenigen Dinge ist, die die Zeit nicht bringen wird. Also »klären« wird sie es auf keinen Fall. Also ist es wahrscheinlich keine schlechte Idee, wenn ich jetzt schon mal viel aufschreibe, von dem ich glaube, dass es so war. Ich kann mich ja weiterhin rigoros ins Kreuzverhör nehmen und in Selbstgesprächen versuchen, der objektiven Wahrheit eine Chance zu geben. Was objektiv gesehen Unfug ist. Da meine Wahrheit ja auf jeden Fall doch sehr subjektiv ist.

Egal, Kinners, ich will es mal lieber so formulieren: Ein kluger Mann hat mal gesagt (das googlen Sie mal schön selbst, ich habe schon genug mit dem Tippen zu tun), dass interessante Selbstgespräche einen klugen Gesprächspartner voraussetzen. Zack, das ist ja wohl mal wieder ein Hammerspruch, um beim nächsten Grillabend seinen etwas simpel gestrickten »Ich-sach-mal-Schwager« im farbenfrohen »Ed Hardy Shirt« in eine tiefe Glaubens- und Sinnkrise zu stürzen. Also, Gabriele – Hand aufs Herz … wie war das eigentlich damals, als der legendäre Rudi Carrell bei dir angerufen hat? – Ah, gut, dass du fragst, Frau Köster – ich meine, es war hundertprozentig so – zumindest erzähle ich es immer so …

Rudi Carrell oder Wie ich durchs Fernsehen berühmt wurde

Im Winter 1995 klingelte in unserer alten Wohnung das Telefon, und da ich nichts Besseres zu tun hatte, ging ich ran – und wollte eigentlich gleich wieder auflegen, als ich eine mit holländischem Nuschelakzent sprechende Stimme hörte: »Hallow, hier ist Rüdi Carrell!«

Ich sagte: »Ja, näh, is klar! Und hier ist Frau Antje! Wat soll das?«

»Ist da Gaby Köster? Sie kennen mich doch, ich bin Rudi Carrell, der aus dem Fernsehen!«

Ich: »Is gut jetzt, du Clown! Hör' mal wacker auf mit dem Driss! Wer bist du? Und was willst du?«

»Gaby, sind Sie noch dran? Ich bin es wirklich!!!!«

»Ja klar. (Ich war mir schon nicht mehr so sicher, ob er es nicht doch war, also hab ich mal lieber 'nen Gang zurückgeschaltet und etwas höflicher gefragt) Wo brennt es denn?«

Er: »Ich habe eine tolle, neue Show. Und dich habe ich auch schon gesehen, ich finde dich sehr lustig! Am besten kommst du heute um 15 Uhr in mein Hotel und guckst dir mit mir den Pilot, also die Testsendung an!«

Da ich mittlerweile dann doch ziemlich überzeugt davon war, dass es sich wohl wirklich um den wahnsinnig bekannten Rudi-»Am laufenden Band«-Carrell handelte, sagte ich noch eine Spur freundlicher zu, mich mit ihm zu treffen! In völliger Ahnungslosigkeit stiefelte ich also alleine ins Hotel zu Rudi, und nach einer freundlichen Begrüßung sahen wir uns den Piloten der Sendung an, die später »7 Tage, 7 Köpfe« heißen sollte!

Ich hatte vom Fernsehen ungefähr soviel Ahnung wie Barbie vom Petting auf dem Rücksitz in Kens Plastikauto. Also hielt ich schön meine Klappe und machte einen auf locker und lässig. Nachdem der Pilot zu Ende war, fragte er: »Du bist sehr lustig, kannst du so was im Fernsehen machen?« Ich sagte wahrheitsgemäß: »Keine Ahnung, wächst mir Gras aus der Tasche? Ich habe so was noch nie gemacht, ich habe keinen blassen Schimmer!« Aber das war Rudi egal, er hatte schon längst eine Entscheidung für sich gefällt und sagte nur: »Du machst das einfach und nächstes Jahr im Februar gehen wir auf Sendung!!! Du hörst dann von mir!«

Ja, Leute! So war das! Zack, zack, in Sack!!!!! So schnell und unkompliziert war mein Vorstellungsgespräch beim großen Showmaster Carrell für seine neue Sendung »7 Tage, 7 Köpfe«! Verrückt. Selbst heute bin ich immer noch erstaunt, wie banal einfach das alles ablief damals. Und im Februar ging es dann auch wie angekündigt los! Nach der ersten Sendung ging ich über den Flur zurück in meine Garderobe. Rudi ging neben mir und hakte sich fürsorglich bei mir am Arm ein: »Du warst super!!! Aber sag' mal, hast du Angst vor mir?« Da hätte ich mich schon wieder wegschreien können! Ich sagte: »Hörense mal, hast du keinen Spiegel Zuhause?« (Hierzu muss man wissen: Rudi war nicht sehr groß und eher sehr zart, also nicht gerade eine »Kante«, vor der man Angst haben müsste!!!) Ich klapp' dich in der Mitte zusammen und nehm dich unter den Arm! Du solltest Angst vor mir haben!»

Das gefiel Rudi. Da er meistens von Kuschern umgeben war, mochte er es sehr, wenn man sich nicht von ihm einschüchtern ließ! Ich glaube, behaupten zu können, dass ich eine der wenigen aus unserem Team war, die Rudi auch mal die Meinung sagen konnte! Er war dann zwar manchmal auch stocksauer auf mich und wütend, aber er wusste auch immer, dass ich es ehrlich meinte und aufrichtig zu ihm war!!!! Das mochte er, und das war dann natürlich auch gut für mich.

Falls sich jetzt einer fragt, warum Rudi mich fragte, ob ich Angst vor ihm hatte – das ist eine berechtigte Frage! Denn Rudis Wutausbrüche waren legendär, und es gab viele Menschen, die ein Lied singen konnten über das, was passierte, wenn es zum Beispiel in den Proben nach Rudis Meinung nicht professionell genug zuging. Kleines Beispiel: Rudi wollte wie so oft zum Abschluss der Sendung einen kleinen Sketch machen, für den er eine Flasche Mineralwasser brauchte. In der Probe stand jedoch keine Wasserflasche an Rudis Platz. Auf seine schon relativ scharfe Frage, wo denn die Flasche wäre, durfte eigentlich nur schleunigst eine Flasche kommen, aber auf keinen Fall eine beschwichtigende Antwort wie: »Steht dann nachher da, Rudi!« Da konnte der gute Rudi echt abgehen wie ein Wutzäpfchen! Ich habe das am Anfang nicht so richtig verstanden, aber später hat er es mir mal erklärt. Rudi kam vom Live-Fernsehen, will sagen: Wenn in den siebziger Jahren vor 20 Millionen am Samstagabend seine legendäre

Sendung »Am laufenden Band« lief, dann musste alles klappen, denn es konnte ja nichts nachbearbeitet werden, weil es ja »live« gesendet wurde! Also musste jeder Sketch mit der erforderlichen Requisite vorher genau geprobt werden, um sicher zu sein, dass er so klappte, wie Rudi ihn sich ausgedacht hatte! Dieses professionelle Arbeiten hatte er nie mehr abgelegt, und wer sich damit nicht anfreunden konnte, der hatte ein großes Problem! Rudi war hart, aber meistens fair. Man punktete am besten durch Leistung bei ihm. Und was ganz wichtig war: Wenn er mal einen von uns auf dem Kieker hatte, dann war es besonders wichtig, dass man geradlinig blieb und nicht einknickte. Lieber man stand für einen Fehler ein, als ihn jemand anders in die Schuhe zu schieben. Aber wie schon gesagt – ich hatte eigentlich ein sehr gutes Verhältnis zu Rudi.

Rudi hielt sich ja auch für einen gigantischen Womanizer, und ich erinnere mich noch immer gerne daran, wie er mich so ziemlich am Anfang von »7 Tage« mal gehörig angebaggert hat: »Wie wäre es denn mal mit uns beiden?« Darüber habe ich mich natürlich so beömmelt und weggegeiert, dass er etwas konsterniert geguckt hatte. Ich hab vor Lachen nur so gehustet und geprustet: »Hörense, kleines Räuchermännchen – wat soll dat denn werden? Du gehst mir doch höchstens bis zum Knie!« Auch sein folgender Einwand, dass er mich sehr glücklich machen könnte, hatte leider nicht die gewünschte Wirkung auf mich – es sei denn, er sollte mich in einen Lachkollaps treiben.

Solche Lachflashs hatten wir in anderem Zusammenhang ja öfter, meistens auf unseren Redaktionssitzungen. Die waren oft so unheimlich witzig, es gab keinen Gag-

Neid, es herrschte eine lockere und angenehme Atmosphäre … so oft haben wir halb im Spaß und halb im Ernst gesagt, dass diese Sitzungen viel besser waren als die Sendungen. Eigentlich hätten die mal gefilmt werden sollen. Das wäre auf einer DVD ein schönes Bonusmaterial geworden.

Mein Freund Mike Krüger war ja auch fast von Anfang an in der Stammbesetzung von »7 Tage« dabei und kannte Rudi Carrell auch schon ewig und drei Tage. Was Mike und ich immer faszinierend fanden, war die Tatsache, wie scheu und introvertiert Rudi Carrell eigentlich war, wenn er nicht »auf Sendung war«.

Natürlich war Rudi immer gut informiert über die Comedy-Szene, aber eines Tages fragte er mich trotzdem, ob ich nicht noch jemanden wüsste, der gut als öfter einsetzbarer Gast in unsere Sendung passen würde? Ich empfahl ihm Piet Klocke, der mich mit seiner Figur als völlig zerstreuter Professor Schmitt-Hindemith schon mehrfach in den Lachwahnsinn getrieben hatte! Wenn Piet sich durch die wildesten und abstrusesten Geschichten mit weit umherrudernden Armen faselte, ohne je einen einzigen Satz zu Ende zu bringen, dann blieb bei mir wirklich kein Auge trocken! Und sein unwirsches »Herrschaften, Ruhe bitte! Das geht alles von Ihrer Zeit ab!« war lange Zeit auch eine Standartfloskel in meinem täglichen Sprachgebrauch! Nachdem Rudi sich mit ihm getroffen hatte, kam er hinterher zu mir und sagte nur kopfschüttelnd: »Wen hast du mir denn da empfohlen? Der Typ ist doch völlig verrückt!« Ich sagte: »Ist doch prima, dann passt er ja sehr gut zu uns!«

So kam der liebe Piet damals also in unsere Sendung! Besonders habe ich mich natürlich gefreut, als mein alter Freund und Weggefährte Kalle Pohl aus der guten, alten WDR-Hörfunkzeit mit an Bord kam! Mit Kalle bin ich nun schon fast zwanzig Jahre befreundet, und er ist nicht nur ein sehr lustiger Mensch, sondern vor allem auch ein guter Freund, der genau wie Mike das Band zwischen uns nie hat abreißen lassen. Mit Mike habe ich auch dem guten Rudi einen schönen Knaller longline serviert: Der kultivierte Herr Carrell schaute sich jede Aufzeichnung einer Sendung von »7 Tage« gerne abends mit einem gepflegten Bierchen in seinem Hotelzimmer an. Und zwar schön gemütlich im weißen Bademantel, jawoll! Das war ein geliebtes Ritual von ihm und das wusste auch das ganze Team. Also haben Mike und ich uns eines Tages folgenden Spaß erlaubt: Wir hatten uns im selben Hotel eingebucht, uns ebenfalls einen weißen Bademantel angezogen, ein paar Bierchen geschnappt und an Rudis Zimmertür geklopft! Als Rudi die Tür aufmachte und uns beide im Bademantel da stehen sah, wäre er vor Lachen fast gestorben!

Natürlich war ich in Köln wegen meiner Radio- und Fernsehgeschichten für den WDR mittlerweile sehr prominent geworden, aber durch »7 Tage, 7 Köpfe« bekam das Thema Popularität und seine Auswirkungen eine neue Dimension, mit der ich mich wohl oder über anfreunden musste. Schon immer gefürchtet wegen meiner großen, furchtlosen, spontanen Klappe und Schlagfertigkeit gab es natürlich gerade in dieser Sendung genug Möglichkeiten, den einen oder anderen Verbaltorpedo zu landen. Was allerdings sonst keine großen Wellen schlug, wurde mit steigender Einschaltquote von »7 Tage« von den allseits bekannten Boulevardmedien genüsslich und pseudoempört hochgekocht. In einer Sendung war der mittlerweile verstorbene Schauspieler- und Hundebuchautor Gert Haucke über einen meiner flapsigen Sprüche gestolpert und fing daraufhin an, mich blöde von der Seite anzumoppern. Da dieser Mensch sehr angetrunken war und außerdem auch noch richtig beleidigend wurde, fand ich das nicht wirklich originell. Nachdem ich mir den Blödsinn dann eine Weile lang hab gefallen lassen, schwoll mir der Kamm und platzte mein interner Geduldskragen. Also fragte ich Rudi laut und deutlich: »Wat will der große, dicke, schwitzende Mann von mir?« Und dann ging das los mit den Interviews, dass die sich alle auf einmal für mich interessierten. Bei der nächsten Sendung musste ich schon vor dem Studio mehr Autogramme als sonst geben, und auch in der Stadt wurde noch mehr hinter meinem Rücken gekichert, gefeixt und getuschelt. Das war aber alles nur ein laues Lüftchen gegen das Drama über meinen berühmt-berüchtigten Spruch über Dieter Bohlens Ex-Freundin Naddel, den ich hier gerne wiederholen würde. Leider ist mir das gerichtlich untersagt worden, und sollte ich mich an diese Unterlassung nicht halten, kann ich zu einer Strafe von mehreren Hunderttausendmillionen Euro verdonnert werden. Das ist mir das Ganze aber echt nicht wert! Und das hat nichts mit Ihnen zu tun, die Sie diese Zeilen gerade lesen! Ich zahle doch nicht einen Haufen Zaster dafür, dass ich mal vor Jahren quasi im Affekt während einer satirischen Fernsehsendung gesagt habe, dass Naddel mich rein optisch an ein nicht eindeutig Männlein oder Weiblein geschlechtliches Wesen erinnert, dessen Kauwerkzeuge so aussehen, als ob die mit einer Flüssigkeit überlackiert wären, die man gemeinhin benutzt, um ge-tipp-te Druckfehler wegzuexen! Neiheihein, nicht mit mir, Freunde der gepflegten Unterlassungsklage! Ich habe Drohungen von Neonazis bekommen und mich nicht beirren lassen. Glauben Sie also ja nicht, wen Sie vor sich haben! Schließlich bin ich ja auch noch als extremstes Beispiel vom Ende der geschmacklichen Fahnenstange mit Morddrohungen konfrontiert worden. Da hat irgend so ein Freak Emails an RTL geschrieben, dass er mich umbringen würde. Da ihm das aber wahrscheinlich nach mehrmaligem Korrekturlesen zu profan vorkam, hat er sich noch ein bisschen zusammengenommen und seine Phantasie konsultiert. Will sagen: Er hat dann auch noch geschrieben, wie er mich zerhackt und wo er die jeweiligen Teile von mir verbuddeln würde. Das hat RTL zwar schockiert und sie haben zur nächsten Sendung ordentlich Security aufgefahren – allerdings hat man mir nichts von alledem erzählt. Ich kam also ahnungslos zum Studio und sah überall viele schwarze Kanten rumstehen, davon zwei sogar vor meiner Garderobentür. Irgendwann bin ich dann raus aus meiner Garderobe und hab gefragt: »Sagt mal, was macht ihr eigentlich hier außer rumstehen und die Sonne verdunkeln?« Mir ist das ganze Puder aus dem Gesicht gefallen, als einer der beiden Schränke sagte: »Wir beschützen dich doch wegen der Morddrohung!« Nachdem ich mich wieder beruhigt hatte über die unglaubliche Sachlage und vor allem darüber, dass man mich in keinster Weise informiert hatte von offizieller Seite, fragte ich dann meine muskelbepackten Babysitter, was sie denn machen würden, wenn der Mörder hier auftauchen würde, um mich abzumurksen? »Ja, wegrennen«, sagten die Steroidenzwillinge gleichzeitig – und für meinen Geschmack obendrein auch etwas zu ehrlich. »Ja, schönen Dank auch! Wegrennen kann ich auch alleine! Seht zu, dass ihr Land gewinnt!« Ich schickte die beiden weg, damit sie den bösen Buben finden würden, bevor ich als alte Raucherin auch noch anfangen müsste wegzurennen! Alles wurde auf den Kopf gestellt und durchsucht, sogar die Zuschauer wurden heftigst kontrolliert. Mir war die nächsten Tage schon immer etwas flau beim Einkaufen oder Gassigehen, aber irgendwann bekam ich dann die erlösende Nachricht, dass der kranke Typ von der Kripo Köln aufgrund seiner Email-Adresse dann überführt und verhaftet worden war. Damals beunruhigt, dann erfolgreich verdrängt und jetzt, wo ich es noch mal schreibend erlebe, ganz schön wahnsinnig, oder? Das ist ja etwas, was ich als »Privatperson Gaby Köster« auch nie begreifen werde: Wie sich Menschen auf Stars so fixieren können! Wie kommt es, dass Menschen unbedingt Madonna heiraten wollen und zu Stalkern werden? Warum werden aus Fans Fanatiker? Die Jungs, die immer schon ab 16.00 Uhr vor der Stadthalle stehen mit ihrem Autogrammbuch – das rührt mich, aber gleichzeitig frage ich mich, ob es nichts Wichtigeres im Leben gibt als ein Autogramm und ein Foto von Gabriele Köster? Ich habe es oft erlebt, dass es immer ein zweischneidiges Schwert ist, wenn man jemanden, den man bewundert, dann in Wirklichkeit kennenlernt. Da können oft Träume und Schwärmereien ein abruptes Ende nehmen.

Mein Freund Till war in seiner Kindheit ein großer Fan von der Hardrockgruppe Kiss, die ja immer mit diesen geschminkten Gesichtern, martialischen Rüstungen auf monströsen Plateaustiefeln und blutspuckend über die Bühne eierten. Eines Tages, Mitte der neunziger Jahre passierte Folgendes: Till war mit seiner Gruppe Till & Obel für den VIVA Comet in der Sparte Comedy nominiert worden und Special Guest der Comet-Verleihung war – Sie ahnen es jetzt schon – die Gruppe Kiss! Nach all den Jahren sollte Till also die Möglichkeit bekommen, seine einstigen Kinderzimmer-Posterhelden aus der Nähe zu bewundern. Noch heute sehe ich sein Gesicht vor mir, als er mir von dieser speziellen Begegnung berichtete. Die martialischen Rüstungen, die auf dem großen Plattencover von damals und auf Bildern in der Bravo immer wie aus schwarzem Stahl und Chrom ausgesehen hatten, entpuppten sich aus einem Meter Entfernung bei noch nicht mal sehr genauem Hinsehen als eine Art bessere Karnevalsverkleidung aus billigem Kunststoff und Pappmaché! Da die älteren Herrschaften etwas aufgeschwemmt waren und an Leibesfülle seit 1976 zugenommen hatten, quollen an einigen Problemzonen auch unvorteilhafte Speckwulste aus dem Plastedress. Der Entzauberung wurde weiteres Futter gegeben durch die peinlichen Rocky-Horror-Frank'n'Furter-Gedächtnisstrapse, die bei allen Musikern in Stiefeln endeten, die selbst in der Auslage eines Erotiksmarktes oder auf dem Fetischwühltisch bei Dr. Schlecker peinlich ausgesehen hätten. Dass diese Discounter-Comicfiguren auch selbst mit ihren 10-cm-Absätzen nicht über 1,85 Meter Körpergröße kamen, tat bedauerlicherweise das Übrige, dass der arme Till seine Helden zumindest schon mal optisch stornierte. Als er dann noch feststellen musste, dass der Gitarrist der Gruppe, Ace Frehley, derartig bedröhnt war, dass zwei Roadies ihn beim Laufen stützen mussten, war die schöne Seifenblase mit den Kindheitserinnerungen endgültig zerplatzt. Das ist einer der Gründe, warum ich fast immer versuche, nett zu meinen Fans zu sein. Ich möchte nicht, dass sie traurig nach Hause gehen, obwohl ich natürlich auch weiß, dass ich weiß Gott nicht jeder Projektion meiner Fans entsprechen kann und will. Am liebsten habe ich es, wenn sich mir die Menschen freundlich und mit Respekt nähern, wenn sie mich um ein Autogramm fragen. Aber letzten Endes ist man auch machtlos, wenn man so wie ich damals feststellen musste, dass es Menschen gibt, die einem das Lebenslicht auspusten wollen, weil man etwas im Fernsehen gesagt hat, was ihnen nicht gefallen hat. Absurd. Aber wenn Menschen den ganzen Tag vor der Glotze hängen und irgendwann bei diesem ganzen Mist, der da gesendet wird, jeglichen Bezug zum richtigen Leben verlieren, dann wundere ich mich nicht.

Ich habe in der Klinik ein paar Mal versucht, ab mittags Fernsehen zu gucken, und war entsetzt über dieses Ausmaß an dummen, niveaulosen Talkshow- und Boulevardsendungen. Ich mache es lieber so, dass ich mir meine Lieblingsserien und -filme auf DVD kaufe, um sie dann in Ruhe genießen zu können.

Ritas Welt vs. Gabys Welt

Ende der neunziger Jahre, als »7 Tage« schon sehr erfolgreich im Fernsehen lief, wurde ich ja – wie Sie bereits wissen – für die Sitcom »Ritas Welt« engagiert. Ich spielte die Hauptperson, die Supermarktkassiererin Rita Kruse. Die war wie gemacht für mich, also sagte ich natürlich zu. Das war eine sehr anstrengende Zeit, und die Grenzen zwischen der Figur Rita und mir wurden immer fließender bei dem Versuch, Arbeit, Familie und eigene Bedürfnisse unter einen gemeinsamen Hut zu bringen. Nur ein Aspekt: Während ich versuchte, mit meinem kleinen Kind die Zeit sinnvoll zu verbringen, musste ich in meiner Parallelwelt als Rita lernen, wie man eine Supermarktkasse richtig bediente! Preise eintippen, Wechselgeld – das komplette Programm, damit das in der Serie gekonnt und schnell aussah!

Aber ich will mich nicht beschweren, denn diese Serie zu drehen hat auch sehr viel Spaß gemacht, und ich verdanke einen großen Teil meiner Popularität der Tatsache, diese Rita Kruse mit liebenswertem Leben gefüllt zu haben!

Mein Sohn Donald war damals zu Beginn der Serie noch nicht in der Schule und konnte deswegen oft bei den Dreharbeiten dabei sein. Das hörte natürlich auf, als er in die Schule kam, deswegen war ich ganz froh, dass wir wenigstens in Köln gedreht haben. Nach Drehschluss bin ich dann sofort nach Hause gefahren, denn ich hatte ja nicht nur meine Süßen noch nicht gesehen, sondern auch meistens noch so um die zwanzig Seiten Text für den nächsten Drehtag zu lernen! Als Donald dann schon lesen konnte, hat er mich abends oft abgehört, so konnte ich besser lernen, und Donald hatte so obendrein noch das gute Gefühl, seiner Mutter wirklich behilflich zu sein! Und er nahm seinen Job sehr genau! Er hörte nicht nur stumpf ab, sondern gab mir auch immer direkt die Regieanweisung mit dazu. Wehe, wenn ich das nur so la la runterrattern wollte! Nicht mit Monsieur, das musste ich aber schnell feststellen!

Was mich oft wahnsinnig gemacht hatte während der Dreharbeiten, war dieses Leben in »zwei verschiedenen Welten«, was oft zu den absurdesten Erlebnissen führte. Ich erinnere mich zum Beispiel an eine Weihnachtsfolge von »Rita«. Da waren wir Angestellten laut Drehbuch im Kühlhaus des Supermarktes eingeschlossen. Das war völlig verrückt, weil wir draußen im richtigen Leben schlappe dreißig Grad brütende Sommerhitze hatten! Wir saßen aber dick eingepackt mit angemalter roter Nase und installierten Eiskristallen in Haar und Wimpern bibbernd im Kühlhaus-Set vom Studio! Und apropos was mich wahnsinnig gemacht hat: Beim Drehen ging es ja leider nicht chronologisch hintereinander weg, sondern wir haben zeitweise gleichzeitig an sieben Büchern parallel gedreht! Erst kamen aus allen Drehbüchern die Wohnungsszenen, dann alles im Supermarkt … oder umgekehrt. Da waren schon so manches Mal zwanzig Drehstunden-Tage dabei und das mit dreißig Menschen (das Team) auf engstem Raum. Da half es sehr viel, wenn man die Kollegen gut leiden konnte! Der Pay-off kam dann später umso heftiger, denn wenn so eine Staffel nach drei Monaten dann endlich vorbei war, kam ich mir zu Hause manchmal ziemlich alleine vor. Trotz der Hunde, meinem Kind, meinem Mann und der Mum!

Aber alles in allem: Es war auch eine tolle Zeit, und obwohl es die vielen Schwierigkeiten gab am Ende der Serie, möchte ich nicht vergessen zu betonen, dass wir auch unheimlich schöne, intensive und tolle Sachen bei der Arbeit erlebt haben. Das ist ja überhaupt nicht wegzudiskutieren, denn wo Licht ist, da ist auch Schatten. Was wäre Yin ohne Yang, Feng ohne Shui und Modern ohne Talking, liebe

Freunde der gepflegten Schmalzstulle! Mit meiner »Rita«-Kollegin Franziska Traub (Gisi) zum Beispiel habe ich sogar heute noch Kontakt.

2004/2005 habe ich dann in Hamburg noch zwei Filme der Krimiserie »Die Bullenbraut« gedreht, die mir trotz der schwierigen und stressigen Dreharbeiten selbstverständlich auch einen höllischen Spaß gemacht haben! Unter anderem und vor allen Dingen deswegen, weil ich die meisten, zum Teil echt gefährlichen Stunts selber machen durfte! Das war ein Riesenspaß, mit dem Auto rumzuschleudern und wie Colt Seavers durch die Gegend zu plästern. So was geht ja im richtigen Leben leider nicht! Ist auch besser so, denn bei einem Stunt im Parkhaus habe ich mich dann auch mal ziemlich verstaucht, also komplett gesehen ... Töne, mein Manager, ließ daraufhin erst mal seinen Freund Micky Rauss »einfliegen«, damit ich wieder geradegezogen werden konnte. Deibel Schlag, das war schon sehr schmerzhaft, aber wir konnten Gott sei Dank weiterdrehen!

Noch schlimmer war allerdings die Szene mit dem Stuhl. Das hätte echt ins Auge gehen können, das war für einen Augenblick lang wirklich eine ziemlich gefährliche Angelegenheit und hätte auch anders ausgehen können: Da war ich auf einem Stuhl gefesselt, die Beine an den Stuhlbeinen und die Hände hinter dem Rücken. Ich sollte laut Drehbuch mit dem Stuhl volles Rohr durch ein Fenster gebrettert werden und kopfüber in einem usseligen See landen! Naja, was heißt schon See? Es war eigentlich mehr ein versiffter Tümpel, grün, trüb und vom Geruch her eine Mischung aus Marktfrau unterm Arm trifft Käpt'n Mundstuhl! Natürlich sollte mich ein professioneller Stuntman retten und den Stuhl nach dem Eintunken in dem Teich herumreißen, damit ich Luft bekäme. Aber der Teufel steckte an diesem Tag nicht nur im Detail, sondern er machte auch den Boden des Sees sehr schlammig und ließ meinen braven Retter auf dem glitschigen Schlabber ausrutschen. Das hatte wiederum zur Folge, dass mir, angebunden am Stuhl, mit dem Kopf unter Wasser, dringlichst klarwurde, wie wichtig gelegentliches und regelmäßiges Atmen fürs Überleben ist! Ich dachte mir echt schon: So, Gabriele, das war's dann wohl! Da fing sich mein Retter schnell wieder, kam zum Stehen und riss, dem Himmel sei Dank, den vermaledeiten Stuhl rum – und ich bekam endlich Luft! Man lebt nur zweimal, Mister Bond!

Da wir im Januar drehten und Hamburg im Januar bitterkalt ist, musste mir erst mal schleunigst wieder warm werden, damit ich mich nicht erkältete, was ja wiederum die sowieso schon knapp kalkulierte Drehzeit brutal verteuert hätte. Es waren so heftige Minustemperaturen, und da wir im Hafen drehten, pfiff uns allen dazu noch ein unbarmherziger, eiskalter Wind um die Ohren, dass es wirklich hart an der Grenze mit konzentriertem Arbeiten war! Ich sollte in meinem Text mal einfach nur »Super« sagen, ich brachte aber nur ein stumpf genuscheltes »Suwa« hervor, weil mein Gesicht völlig eingefroren war! Aber da rettete mich natürlich mein Star-Status vor Schlimmerem. Also schickte man mich erst mal in ein beheiztes Kassenhäuschen am Hafen, um mir einen Heizlüfter ins Gesicht zu halten, damit ich auftauen konnte … Klingt irre, war aber genau so! Also rann es mit dem vereisten Langnese-Gesicht an den warmen Miefquirl, denn als Pantomime wollte mich ja keiner sehen! Angesichts des Muffs aus dem Lüfter überlegte sich mein Gesicht doch, schneller wieder aufzutauen als üblich, und wir konnten mit einem korrekt gesprochenen »Super« die Dreharbeiten erfolgreich fortsetzen! Soviel zum Thema Starallüren bei den Dreharbeiten, Kinners!

Starallüren kenne ich meistens auch nur von Riesenshows wie »Wetten, dass …?«. Ich war mal bei Thommy eingeladen, und zwar zu einer »Wetten, dass …?«-Ausgabe in der Düsseldorfer Philipshalle. Was ich ziemlich spitze fand, denn als weitere Stargäste hatte Thommy den zu dieser Zeit populärer als populären Robbie Williams und den bösen Rapper 50 Cent eingeladen. Da war meine musikalische Bandbreite schön abgedeckt, und ich war doch schon sehr gespannt, ob sich ein lockeres Plauderründchen mit den Herrschaften ergeben würde. Wir – Töne und ich – saßen also irgendwann zwischen den Proben entspannt wie ein Pfund Schlagsahne in meiner Garderobe, als wir plötzlich laute Musik hörten. Robbie Williams machte einen infernalisch lauten Soundcheck, und der Gesang hörte sich unfassbar sensationell an. Töne und ich gucken uns an und stürmen aus der Garderobe hinaus in die Halle. Immer dem Gesang nach, der sich wie der Gesang der Sirenen in unsere Hörmuscheln fräste. Als wir endlich in der Halle standen, waren wir immer noch restlos begeistert. Aber auch fassungslos – vor Überraschung. Da stand nämlich kein Robbie Williams. Von Robbie war weit und breit keine Spur zu sehen. Entweder hatte er sich einfach mit Hilfe des Trockennebels auf der Bühne unsichtbar aus der Halle verdünnisiert – oder jemand anderes hatte gesungen. Und so war es auch, denn der Soundcheck wurde noch mal kurz wiederholt, und jetzt sahen wir mit aufgerissenen Augen, dass nicht Herr Williams mit seiner Christbirne am Singen war, sondern eine Frau, die sich später als seine Tourmanagerin herausstellte. Herrschaften, wenn ihr mich fragt, dann hat dieses Mädel den Song so gut gesungen, wie Robbie ihn eigentlich von da ab hätte immer singen sollen. Obwohl er es später auch sehr ordentlich gemacht hat und überhaupt ein sehr netter, wohlerzogener junger Mann war. Was wir von 50 Cent erst mal so nicht gedacht haben.

Circa zwei Stunden vor der Aufzeichnung der Show saßen wir wieder bei Gummibärchen und einer schönen Tasse Bohnenkaffee in der Garderobe, als draußen ein Lärm aufkam, als ob mindestens eine Hallenwand stumpf eingestürzt wäre: Ein Krach in der Bude, als ob Godzilla leicht angefressen durch die Halle stampfte, weil er seine Pantoffeln suchte. Wir also wieder raus, um dem armen Tier beim Suchen zu helfen, damit als angenehmer Nebeneffekt auch der vermaledeite Krach aufhören würde. Der Krach entpuppte sich so nach und nach als ein rüder Drumbeat, der zwar nicht von Godzilla kam, aber aus seinem riesigen Ghettoblaster, den er wohl offensichtlich vergessen hatte. Das fand die Entourage von Herrn 50 Cent sehr nett, schleppte das Ding zu Fifty in die Garderobe und fing gleich an, eine spontane Jam-Rap-Session zu starten, damit Fifty sich schon mal schön locker machen konnte. Das hätte bis zu einem gewissen Grad auch sehr amüsant und witzig sein können, wenn es nicht so laut gewesen wäre wie der Start einer Raumfähre in Cape Canaveral. Und was noch schlimmer war: Es nervte nach fünf Minuten schon so gewaltig, als wären gefühlte drei Stunden um. Aber was tun? Einfach zu Herrn Cent in die Garderobe stiefeln und ihn mal ordentlich anföhnen? Zum Beispiel so: »Hörens, Fifty! Die Musik machen wir jetzt aber mal schön leise, Mutti will noch ein bisschen entspannen vor dem Auftritt!« Gute Idee. Ich gehe also entschlossen in Richtung von Fiftys Luxuskabine, um dann doch irgendwann etwas gehemmt ungefähr zwanzig Meter vor derselbigen stehen zu bleiben. Der Grund war eindeutig: Vor der Garderobe von Herrn Cent stand King Kong mit einem Gesichtsausdruck, der klarmachte, dass ab hier das Ende der Spaßgesellschaft eingeläutet wurde. Und dass er jedem den Kopf abreißen würde, der sich Eintritt in das Allerheiligste von Fifty verschaffen wollte. Der Typ war so unglaublich in seiner körperlichen Erscheinung, dass die Tür zur Garderobe hinter ihm wie eine Katzenklappe aussah. Da war nix zu löten. Irgendwann als sich alle an den Lärm gewöhnt hatten, war es ja auch egal, und als 50 Cent dann vor mir stand und brav Pfötchen gab, stellte sich dann doch heraus, dass auch er ein ganz netter Typ war. Genau wie Thommy Gottschalk. Der Golden Retriever kam vor der Show auch kurz in meiner Kabine vorbei, um mein enormes Lampenfieber mit einem netten Gespräch herunterzukühlen. Und somit war auch seine schöne Show ein lustiges Erlebnis allemal.

Wo wir gerade bei lustigen Erlebnissen beim Fernsehen sind: Eine der lustigsten Shows, die ich je gemacht habe, war die RTL-Silvester-Chart-Show mit dem lieben Thomas Stein, Atze Schröder, Mario Barth und RTLs Moderationsautomat Oliver Geissen. Till und Norbert Heisterkamp waren auch noch mit dabei als Gäste der Sendung, und wir hatten mächtig Spaß. Was zugegebenermaßen auch am Alkohol lag, den wir uns während der Aufzeichnung reingesüppelt haben. Ich hatte in meinem Liveprogramm eine Nummer, in der ich erzählte, dass ich mir mit einem Schrubbeimer »Mai Tai ohne Saft« die Kante gegeben hatte. Was natürlich die Redaktion der Sendung veranlasste, mich während der dreistündigen Aufzeichnung genau mit Cocktails nach diesem Rezept zu versorgen. Und zwar mit permanentem Nachschub! Irgendwann hatte ich so dermaßen die Lampe an, und da meine Kollegen auch richtig Spaß hatten, wurde es wirklich eine lustige, zum Teil sehr spontane Sendung, in der wir alle sehr viel gelacht haben und auch das Publikum großen Spaß hatte. Ich glaube, die Sendung kam beim Sender und bei den Zuschauern so gut an, dass RTL sie gleich dreimal hintereinander an Silvester gesendet hatte. Falls Ihnen also Silvester 2008 genauso vorkam wie 2007, haben Sie wahrscheinlich RTL geguckt und nicht zu tief in die Flasche. Und denken Sie bloß nicht, dass ich mir regelmäßig im Fernsehen Cocktails reingeschlürft habe – mitnichten! Ich kann auch ohne Mai Tai sehr viel Spaß haben, auch bei RTL-Produktionen!

Die Sendungen »Typisch Mann, typisch Frau« mit Günther Jauch waren sehr schön, weil ich dort einfach viele Klischees ad absurdum führen konnte. Einen Campingstuhl zusammenbauen? Gerne, meine Herren! Ich erkläre Ihnen gerne auch, wie Ihr neuester Computer funktioniert. Sie können sich auch gerne mit mir in ein Auto setzen, sogar in einen Nissan Micra – wenn es sein muss, mach' ich auch mit so einem Elefantenrollschuh eine CI5-Turn mit doppelt eingesprungener Handbremse für die anschließende Detektiv-Rockford-Wende. Da bin ich nicht bange vor, und wer diese Sendungen gesehen hat, kann sich hoffentlich auch an den Spaß erinnern, den man mir bei diesen Aktionen nicht aus dem Gesicht kloppen konnte. Böse Zungen aus meiner näheren Umgebung würden jetzt an dieser Stelle wahrscheinlich von einem »Technikfimmel« sprechen, einem Zwang, immer die neueste Computersau durchs Dorf zu jagen bis hin zu dem Verdacht, dass der Saturn in Köln ohne meine jährlichen Zuwendungen nur noch halb soviel Umsatz schieben würde. Das ist meiner Ansicht nach jedoch eine völlig niederträchtige Darstellung meines Beitrages zum Bruttosozialprodukt und meiner konsequenten Unterstützung der deutschen Wirtschaftsunternehmen. Ich könnte sogar hier von einer sehr einseitigen, tendenziösen Denunzierungsstrategie sprechen, denn wer mich gut kennt, der weiß, dass ich dieselben Aufwendungen – und mehr – ohne mit der Wimper zu zucken auch für Kleidung, Schmuck, Schuhe und Hundefutter ausgebe. So, Freunde des gepflegten Kaufrausches. Das musste aber auch mal gesagt werden.

Wenn die Mutter mit dem Sohne

Da lag ich also nun im Krankenhaus, und schon ziemlich früh habe ich mit ein paar internen Überbrückungskabeln versucht, mein malades Hirn wieder zum Knattern zu bringen, denn meine Gedanken kreisten natürlich sehr oft um meinen geliebten Sohn Donald. Tausend Fragen bohrten sich wieder und wieder durch meine gebeutelte Hirnpanade: Was wird mein Kind sagen, wenn es mich hier so verdengelt liegen sieht? Wie soll ich in diesem Zustand überhaupt noch eine gute Mutter sein? Was bin ich überhaupt noch wert als Mutter, wenn ich gerade jetzt in dieser wichtigen Phase vom Teenie zum jungen Mann zur Belastung für mein Kind werde, anstatt ihn mit Rat und Tat durch das anstrengende Pubertieren zu lotsen? In einer schwierigen Zeit, wo die Kinder glauben, dass ihr Körper samt Hormonhaushalt ausflippt, Liebeskummer tödlich ist und sie sich oft unverstanden fühlen, wird mein Junge damit klarkommen müssen, dass sich in Zukunft alles um seine kranke Mutter drehen wird! Und wo wir gerade so schön bei Selbstvorwürfen sind, egal ob berechtigt oder nicht: Hat sich nicht sowieso schon immer alles um mich gedreht, ob krank oder gesund? War ich bis jetzt überhaupt eine gute Mutter gewesen? Hat der Junge vielleicht nicht schon genug gelitten unter dem ewigen »Mama ist nicht da, die muss arbeiten«-Stress von Tournee und TV-Dreharbeiten? Ich habe nächtelang mit mir selbst gesprochen: »Werde ich je wieder richtig gesund werden oder ein ewiger Pflegefall bleiben? Was, wenn die Mum das alles nicht mehr packt mit mir und Donald? Oder sehe ich alles zu schwarz? Ich war doch immer eine gute Mutter, der Junge wird doch keinen Stress machen! Ja, WAR! Jetzt bin ich ja nichts mehr wert, ich werde ihm eine schlimme Last sein. Na und? Kinder müssen begreifen, dass Pflege nicht nur eine Einbahnstraße ist. Wer hat sich denn bis jetzt für alle bucklig geschuftet? Ja, aber der Junge ist doch noch noch so klein! Ich bitte dich, der Junge ist 13 und kein Baby mehr! Man kann doch gar nicht früh genug den Kiddies vermitteln, dass das Leben keine Wunschveranstaltung ist! Ich hatte mir das alles auch etwas anders vorgestellt, kannste mal glauben!«

Manchmal dachte ich, ich müsste durchdrehen! Aber das nützt ja auch keinem was, oder? Mein Kind, mein liebes Kind, was hast du durchgemacht? Ich wünschte, es wäre dir und mir erspart geblieben. Durch das Haus ist mein Sohn gelaufen und hat laut zu Gott gebetet für seine Mutter. Denn mein Junge ist ein sehr guter Junge. Das war er schon immer und das wird er auch bleiben, damit das mal klar ist. Auch wenn er – wie seine Mutter – gelegentliche Probleme mit sogenannten Autoritäten hat. Dafür kann er eben nicht wirklich was, da kann er sich bei Herrn Gregor Mendel beschweren und vielleicht auch bei mir, auch wenn das nix hilft! Und egal, was kommen wird, wir werden das alles schon meistern, denn wir sind ja bis jetzt auch durch alle Stürme gesegelt! Überhaupt gibt es selbst im größten

Mist eine Möglichkeit dem Schlamassel was Positives abzuringen! Mir ist nämlich klargeworden, wie wichtig mir mein Sohn ist, wie sehr ich ihn liebe und wie viele unzählige, tolle Momente ich ihm schon zu verdanken habe! Ich möchte hier die Gelegenheit also beim Schopf ergreifen und ein paar Fragen beantworten, die mir schon so oft in meiner Karriere gestellt worden sind. Und ich möchte meinem lieben Kind ein paar unvergessliche Geschichten erzählen, die selbst der pikloppte Schlaganfall nicht aus meinem Hirn planieren konnte, so schön sind die. Und falls noch mal versucht wird von irgendwelchen fiesen, hinterhältigen Körperkrankheiten, diesen Stoff von meiner Festplatte zu stornieren, schlage ich ihnen schon jetzt mit dem Niederschreiben dieser wunderbaren Erlebnisse ein Schnippchen. Ha! Jawoll. Aber erst mal Ruhe ins Boot bringen und alles schön der Reihe nach.

Donald erblickte das Licht der Welt an einem der heißesten Tage in diesem gottverdammten Universum. Jedenfalls ist, war und bleibt das meine feste Meinung. Ich erinnere mich so gut an diese sengende Sommerhitze, weil wir damals im fünften Stock wohnten und ich jedes Mal mit dieser schweren Riesenbeule vorm Bauch die Treppen hochgejappst bin. Mal was vergessen und der Mann nicht da – das war der reinste Horror, und irgendwann hatte ich natürlich keinen Bock mehr und habe mir nur noch gewünscht, dass dieses Baby endlich raus will aus meinem Monsterbauch. Ich fühlte mich wie eine Dampflokomotive, die auch mal schnell sein möchte. Deswegen habe ich sogar einmal versucht, das Treppenhaus im Eiltempo zu bewältigen. War vielleicht doch keine gute Idee gewesen: Ich saß dampfend und schwitzend in unserer Wohnung und fühlte mich wie Antje das NDR-Walroß nach dem Zirkeltraining in der Sahara! Ich schnappte mir das Telefon, rief das Krankenhaus an und fragte, wann wir denn endlich mal kommen sollten. Die Auskunft war meiner Meinung nach eindeutig: Wenn ich es nicht mehr aushalten könnte! Ha! Genau das war ja der eingetretene Fall, also machten wir uns sofort auf den Weg ins Krankenhaus. Dort angekommen wollten die Wehen nicht mehr so richtig aus dem Quark kommen, da ihnen wahrscheinlich das Treppensteigen und die treibhausartige, miefquirlige Hitze des Treppenhauses fehlten. Also ließen die mich da erst mal stundenlang liegen und ignorierten mich. Darüber habe ich mich in meinem sanftmütigen Schwangerschaftscharakter wahrscheinlich so dermaßen aufgeregt, dass die Wehen sich zu einem heftigen Comeback hinreißen ließen. Als ich das der schmallippigen Schwester (kennen Sie Schwester Rachel aus »Einer flog übers Kuckucksnest«? Ja? Dann wissen Sie schon, was ich meine … wenn nicht, gucken Sie sich den Film an, das schadet auch mal überhaupt nichts!) mitteilte, erwiderte diese kurz, knapp und bestimmt: »Frau Köster, Sie können das Kind jetzt nicht kriegen, der Kreissaal ist bereits belegt.« Ich sagte ihr: »Ich glaube kaum, dass ich da noch Einfluss drauf habe … Ich glaube, es geht JETZT los!« Schwester Rachel »schaute nach«, sagte laut »oh ja, Scheiße« und mittlerweile ist der Bengel 1,85 Meter groß und bei bester Gesundheit. Dreimal auf Holz geklopft!

Ich wurde in den letzten Jahren wirklich gerne und oft gefragt: »Wie machen Sie das eigentlich alles mit Kind?« Erstens: Ganz ehrlich, ich weiß es manchmal auch nicht!

Zweitens: Das Kind macht auch eine ganze Menge toller Sachen mit mir! Aber eines weiß ich hunderprzentigabermalganzgenau: Ich weiß, dass meine Mutter uns immer geholfen hat, wo und wie sie nur konnte. Danke, liebe Mum! Das war und ist nämlich ein anstrengender Job, sich um Donald und mich zu kümmern. Wenn ich nämlich berufsmäßig Blödsinn machte, dann passte sie auf, dass der kleine Quirl nicht die komplette Bude auf links zog oder meine geliebten elektronischen Helferlein traktierte. Was ihr auch gelang, dafür aber leider mir nicht: Als Donald gerade laufen konnte, raste er eines Morgens an den Schreibtisch, auf dem mein neuer Laptop stand und schubste den Laptop immer näher an den Rand des Schreibtisches. Immer ein Stück weiter und schön darauf achtend, dass Mutti auch ja gut abgeht! Ich war natürlich schon längst am Kreischen, aber der kleine Donald machte einfach weiter, und weil ich vor Schock wie gelähmt war und mich nicht bewegen konnte, kam es, wie es kommen sollte: Auf einmal knallte es ohrenbetäubend, und das gute Teil lag auf dem Boden! In tausend Stücke zerbröselt! Hulfäääähhhh! Das war natürlich so unabsichtlich passiert wie die Alpenüberquerung von Hannibals Elefantenfrühpatrouille, sehelbstvörständlich! Aber das kleine Schubsmonster Donald sagte nur: »Upps, tschuldigung! Gaby, nicht traubisch sein, kann man alles kleben!« Jaha, was für ein aufgeweckter, kleiner Düvel! Aus seiner Sicht konnte jetzt nämlich nix mehr schiefgehen, seiner Ansicht nach war der Fall wasserklar und konnte nur mit einem waschechten Freispruch enden, denn: »Tschuldigung« hatte er gerade gelernt und er wusste, dass man das am besten immer gleich sagt, wenn was passiert war. Dann durfte natürlich keiner auch mehr böse sein, denn er hatte ja laut und deutlich »Tschuldigung« gesagt! Aber dass so ein Laptop sich nicht mehr heile machen lässt und schon mal gar nicht mit Sekundenkleber, dass wusste er wohl noch nicht so genau! Kinderlogik! Im Vorfeld hatte Donald wohl ein- oder zweimal zu oft schon beobachtet, dass ich im Haus hier und da mal Sachen mit Sekundenkleber »repariert« hatte. Das hatte den kleinen Mann so derartig beeindruckt, dass er sogar irgendwann mal mit einer ganzen Kiste Schrott aus dem Kindergarten nach Hause kam, weil er auch dort überaus vollmundig verkündet hatte: »Meine Mama kann alles kleben!« Eben nicht alles! Das Laptop war jedenfalls hin, schwarzer Bildschirm, nix ging mehr! Ich war am Ende. Ich habe geheult wie Lassie auf Lady Dianas Beerdigung. Es war ein Supergau für mich, denn auf dem zerbröselt vermaledeiten Kaleidoskopscherben-Laptop waren meine ganzen Radiosendungen drauf! Leute, spart euch die Nachfrage, ihr Schlauköppe: Nein, ich hatte keine Backups oder Sicherheitskopien, die waren zu dieser Zeit einfach nicht so hip, und der unerschütterliche Glaube, dass schon nix passieren würde, war eben auch noch unerschütterlich! Klar, ich hatte ein paar Disketten, das waren früher – wir Älteren haben so was noch benutzt – so 'ne Art CDs, aber leider hatte ich kein Gerät, was in der Lage war, diese zu lesen. Heute, zig Jahre später im modernen Computerzeitalter sind »Disketten« in etwa gleichzusetzen mit Funden aus Tutanchamuns Grabkammer! Langer Schwede, kurzer Finn': Also, alle meine alten, schönen Radiospäße- und -schätze waren weg, auf Nimmerwiedersehen. Schade, sehr schade … was soll's, »nich traubisch sein, Gaby«! Verrücktes Kind. Von mir hat es das nicht.

Schule, Karneval, Urlaub – normal kann jeder!

Mein Sohn Donald wurde in eine völlig herkömmliche städtische Grundschule eingeschult, mein Wunsch war eingangs, dass Donald »relativ normalen« Umgang hat und nicht mit irgendwelchen anderen Promikindern auf einer Privatschule rumhängt und sich über die Fernsehquoten der Eltern zanken musste!

Das war auch erst mal ganz okay, und nach den ersten Wochen in der städtischen Grundschule diskutierte ich hauptsächlich mit meinem Filius darüber, welche Sportart ihm denn Spaß machen könnte. Fußball kam für Monsieur überhaupt nicht in Frage, er fand diesen Sport nicht nur so überflüssig wie eine Sonnenbank für Pinguine, sondern er verachtete ihn richtig. Als ich ihn vorsichtig fragte, was denn so Ihro Majestät interessieren könnte, antwortete er wie aus der Pistole geschossen: »Karate!« Da musste ich erst mal schlucken. Karate war für mich immer etwas, was ich mit albernen Bruce-Lee-Kloppfilmen in Verbindung gebracht hatte. Oder mit dieser Kung-Fu-Serie, wo sich David Carradine als Cowboymönch immer erst bespucken, verhöhnen und auslachen ließ, bevor er den Bösen die ungewaschene Rotzrübe wegtrat. Aber das Kind blieb hartnäckig, und irgendwann wusste ich auch, warum: Nachdem ich Donald mehrfach zur Schule gebracht und abgeholt hatte, beobachtete ich eines Mittags eine üble Szene. Auf dem Schulhof lag ein Kind wehrlos am Boden und mehrere Kinder schlugen und traten auf dieses Kind ein. In der Nähe lief eine Frau mit einem Mädchen an der Hand und ich dachte mir in meinem Entsetzen: Das ist bestimmt 'ne Lehrerin, sprich sie mal an, sonst passiert hier gleich noch ein großes Unglück. Gesagt, getan. »Entschuldigung, sind Sie Lehrerin hier, haben Sie Aufsicht? Wollen Sie da nicht mal eingreifen? Oder sollen wir direkt den Krankenwagen anrufen?« Die Lehrerin antwortete: »Die machen das schon untereinander klar. Ein Kollege hat mal gehandelt in so einer Situation und hat sich dabei den Daumen gebrochen – seitdem machen wir das nicht mehr!« Na herzlichen Glückwunsch!

Nach diesem entsetzlichen Erlebnis sprach ich mit Donald und sagte: »Okay, wenn es denn unbedingt Karate sein soll, dann eben Karate!« Später ergaben sich noch Situationen, die diesen Karatekursus rechtfertigen sollten! Aber dieses Erlebnis veränderte nicht nur meine Einstellung zu Karate, ich war einfach sehr empört über diese Zustände auf dem Schulhof und die offenbare Gleichgültigkeit und Machtlosigkeit des Lehrpersonals! Zudem wurde Donald, wenn er aus der Schule kam, immer häufiger auch aggressiv, er schmiss dann einfach die Schultasche durch den Flur und fing an, mit den Türen zu knallen. Das verwirrte mich noch mehr, aber als dann die Lehrerin eines Tages zum Laternenbasteln in die Klasse einlud, wurde mir schlagartig einiges klarer! Mir war schier unbegreiflich, wie die Kinder dort überhaupt lernen konnten: In der Klasse war ein Höllenlärm und jedes Kind machte, was es wollte. Ein Junge kam in die Klasse und knallte die Tür dermaßen zu, dass mir fast der Schädel wegflog. Ich konnte nicht länger an mich halten und fragte die Frau Lehrerin: »Was ist denn hier los?« Die Lehrerin sagte, das sei ganz normal, das würde gerade dieser Junge immer so machen. Dabei schrie Fräulein Prusseliese wie eine Irre. Donald sagte nur zu mir: »Hör dir das an, das ist hier immer so, das ist hier ganz normal!« Ich war einfach nur noch traurig und hätte heulen können. Ich fand das überhaupt nicht normal und unterhielt mich erst mal mit dem Jungen, und es stellte sich schnell heraus, dass er ein Geschwisterchen bekommen hatte, sich seitdem sehr vernachlässigt von seiner Familie fühlte, denn alles würde sich nur noch um seine kleine Schwester drehen. Eigentlich war das ein ganz lieber Junge, und nach der Stunde ging ich mit ihm zur Tür und zeigte ihm, dass man sie auch leise schließen konnte. Von wegen Rabauke – artig bedankte er sich, dass ich ihm zugehört hatte. Nach der Stunde redete ich mit der Lehrerin und erzählte ihr von den Problemen des kleinen Mannes. Sie war natürlich komplett ahnungslos und – richtig – außerdem könne sie sowieso nix daran ändern. Ich war supersauer: Wenn nur neunzehn Kinder in der Klasse sind, kann man sich sehr wohl kümmern, Freunde des kultivierten Zuhörens! Für mich war ziemlich schnell klar, dass ich nicht wollte, dass mein Sohn weiter unter solchen Umständen lernte! Also musste ich handeln und informierte mich, welche Schulformen es sonst noch in unserer näheren Umgebung gab. Und Bingo: In unserer Nähe war eine Montessori-Schule! Ich rief sofort den Schulleiter Herrn Ehlers an, schilderte ihm unser Problem, und er sagte zu meiner freudigen Überraschung, dass ein Platz durch einen Umzug frei geworden wäre. Wenn die alte Schule Donald gehen ließe, dann könnte er schnell wechseln. Wir waren überglücklich. Herr Ehlers sagte noch, ich könnte mir die Monteschule ja mal ansehen. Das machte ich natürlich schnell. Ich ging morgens hin und kam in Donalds zukünftige Klasse. Die Lehrerin war noch nicht da, aber die Kinder kamen in die Klasse, setzten sich hin und fingen schon mal ganz entspannt an zu arbeiten. Es war ohne Lehrerin leiser als in der anderen Schule in Anwesenheit der Lehrerin – ich war sehr erstaunt! Die Modalitäten des Schulwechsels waren sehr schnell erledigt, und ich hatte das Gefühl, genau das Richtige für mein Kind getan zu haben. Den ersten Schultag in der neuen Schule werde ich nie vergessen: Während er vor dem Wechsel immer mit hängenden Schultern und mieser Laune nach Hause kam, lief mir an jenem Tage ein freudestrahlendes Kind begeistert in die Arme! Donald war überglücklich und total begeistert, uns allen ging das Herz auf. Frau Bachem, seine neue Lehrerin, war Lehrerin mit Leib und Seele! Liebe Frau Bachem, falls Sie das hier lesen sollten: Meine Familie und ich sind Ihnen heute noch sehr dankbar für diese unvergesslichen Schuljahre!

Nicht ganz so lange wie die wunderbare Grundschulzeit dauerte Donalds Karate-Laufbahn. Nach drei Jahren gab es immer mehr Wettkämpfe am Wochenende, und das war für meinen Sohn der Anfang vom Ende. Dazu hatte er keine Lust. Ich muss allerdings sagen, dass er nicht umsonst die drei Jahre absolviert hatte, denn als die Montessori-Schule renoviert wurde, musste Donalds Klasse in einen Container auf dem Schulhof der benachbarten Hauptschule ausquartiert werden. Das brachte viel Konfliktpotential mit sich, denn die älteren Hauptschüler machten gerne ihre derben Späße mit den kleinen Jungs von der »Softieschule«. Da wurden Jacken weggenommen, Geld abgezockt und derbe rumgepöbelt, bis sich mein Sohn mit Karate und sicherem Auftreten Respekt verschafft hatte. Einem Mitschüler hat er sogar auf diese Art und Weise die Jacke zurückerobert. Nicht dass wir uns falsch verstehen –

er musste noch nicht mal den Chuck Norris machen! Er schaffte es einfach durch souveränes Handeln, den Streit zu schlichten und sich von da an auch den nötigen Respekt zu verschaffen. So kam ich zu dem überaus zufriedenstellenden Gesamtfazit: Ende gut, Karate gut – alles gut!

Donalds liebstes Kuscheltier war jahrelang ein Wasserkessel. So ein stinknormaler Blechflötenkessel, wie man ihn halt von früher noch so kennt, als es noch nicht diese komischen Wassererhitzer mit der verkalkten Heizspirale gab. Und diesen hoch und heilig geliebten Blechkessel, den hatte er immer in seinem Kinderwagen-Buggy auf dem Schoß und hielt ihn mit seinen kleinen Patschepfoten so fest wie eine Oma ihre Handtasche. Das sah natürlich sehr skurril und hochgradig süß aus. Dieser Süßfaktor wurde jedoch stark beeinträchtigt durch die sehr häufige und penetrant nervige Benutzung der Kesselflöte, die mein Sohn gerne und mit großer Begeisterung vom Ausguss abfummelte, um mit noch mehr Begeisterung darauf rumzutröten. Und alles hat dieses Kind verloren, aber nicht diese Tröte, um die es meiner Meinung nach nicht wahnsinnig schade gewesen wäre. Wenn wir im Urlaub waren und hatten mal keinen Kessel oder ein anderes Spielzeug dabei, dann war das Liebste für ihn, immer auf den Markt zu gehen und Töpfe zu holen.

Aber nicht nur stundenlang tröten oder mit Töpfen kuscheln konnte mein Sohn ausdauernd betreiben – nein, er war auch ein leidenschaftlicher Witzerzähler. Auf langen Autofahrten war das auch immer der reinste Horror, stundenlang: »Kommt ein Skelett zum Arzt. Sagt der

Arzt: ›Zu spääääät!‹« Was – Sie ahnen es schon – natürlich nichts anderes bedeutete, als dass dieser sensationelle Witz uns noch mindestens fünfzehn Mal in den nächsten Stunden völlig überraschend und vollkommen spontan erzählt wurde. Versteht sich ja wohl von selbst, oder? Jeder, der Kinder hat, wird irgendwann konsterniert, resigniert und irgendwie trotzdem auch amüsiert feststellen, dass Kinder nichts mehr lieben als Wiederholungen und feste Rituale.

Donald hat zum Beispiel immer gerne Sonnen gemalt, die selber eine Sonnenbrille aufhatten. Großartige Idee! Und eingeschlafen ist das Kind ja auch am allerliebsten mit Helge Schneider: »Sei nicht traurig, kleiner Meisenmann, dass du nicht alles haben kannst, der Rest geht zum Finanzamt!« Das kam so: Der Kleine saß zur Schlafenszeit immer in seinem Bett, und ich fragte ihn brav jeden Abend, was er denn hören wollte (ich wollte ja auch von diesen unsäglichen Benjamin-Blümchen-Kassetten wegkommen). Monsieur sagte also irgendwann eines Abends mal zu meiner großen Überraschung: »Herr Schneider, bitte.« Ich hab ihm alles vorgespielt. Außer der Sensemann, der schellt, das hab ich dann immer vorgespult. Das war mir dann doch zu heftig für die Reise ins Traumland. Aber die Lieder fand er klasse. »Kleiner Meisenmann« und »Eine Rose ist eine Rose«.

Als es immer mehr wurde mit den Auftritten und ich richtig auf Tournee ging, kam Donald auch manchmal mit, wenn die Mum zum Beispiel noch arbeiten musste oder keine Zeit hatte. Schließlich musste die Gute sich ja auch noch um ihre Mutter kümmern. Dann haben wir den Kleinen einfach mitgenommen zur Arbeit und sind mit Hund

und Kind auf Tour gegangen, der Köstersche Wanderzirkus quasi! Übrigens – das Wort »arbeiten« wurde bei uns auch erst durch Donald eingeführt! Und das kam so: Der Vater von Donalds Freund Felix war Schreiner und ging – wie man das bei solchen Berufen ja so schön sagt – natürlich immer »arbeiten«. Irgendwann fragte mich also mein kleines, aufgewecktes Kind mit großen Augen verzweifelt: »Warum arbeitet ihr einzlich nicht?« Und auf die übliche Anfrage im Kindergarten, was denn die lieben Eltern beruflich so machen, sagte mein Sohn lakonisch: »Meine Mama macht Quatsch und kriegt auch noch Geld dafür und mein Papa sitzt am Computer und hilft ihr dabei!« Das war für ihn also unsere Arbeit! Das Kind war wirklich ein helles Köpfchen! Trotzdem, min Jong. So einfach ist es dann wohl doch nicht!

So lernte Donald mit zwei Jahren auch mal das malerische Wilhelmshaven kennen, genauer gesagt das »Pumpwerk!« Das Pumpwerk ist eine sehr schöne Live-Halle, und während ich also auf der Bühne stand und durch mein Programm »Die dümmste Praline der Welt« tobte, saß mein kleiner Donald brav mit einer schon älteren Schülerin in der Garderobe und malte schöne Bilder. Dachte ich zumindest. Aber der kleine Monsieur hatte wohl irgendwann mal beschlossen, dass es wohl reichen würde mit Bilder malen und machte sich auf den Weg, um seine Mutter zu suchen. Und so kam es, dass er während der zweiten Hälfte plötzlich auf die Bühne stiefelte und mit seinem zarten Stimmchen brüllte: »Mama, jetzt komm endlich, ich hab' keinen Bock mehr zu malen!« Das saß. Eine klare Aussage, brillant vorgetragen. Nur etwas unpassend vom Timing her. Also flötete ich mit einer Stimme so süß wie drei Kilo Zuckerwatte in sein leicht erregtes Gesichtchen: »Mein lieber Schatz, ich komme gleich, es dauert nicht mehr lange! Bitte hab' noch ein bisschen Geduld, ich bin noch nicht ganz fertig, aber gleich, die Leute freuen sich doch!« Das beruhigte meinen Sohn, und so stapfte er artig in die Garderobe zurück und erfand so nützliche Sachen wie zum Beispiel Maschinen, die Fenster putzen sollten, oder auch so tolle Dinge wie Häkelmaschinen. Ich habe heute noch die Original-Dokumente in Mappen sorgfältig aufbewahrt.

Irgendwann passierte natürlich auch genau das, was viele Kollegen durchmachen müssen, die kleine Kinder haben: Ich musste mal wieder los auf eine große Tourrutsche, aber Donald wollte das ungefähr so gerne, wie Schneewittchen den Glassarg von innen streifenfrei putzen! Also eher nicht! Ich erklärte ihm geduldig, dass ich aber nun mal Geld verdienen müsste, für Spielsachen, Lebensmittel und Urlaub, aber er erklärte mir, dass ich dafür nicht mehr zu arbeiten bräuchte! Es gäbe nämlich so Plastikkarten, damit geht man zu einem Automat und dann käme da einfach so Geld raus, deswegen wäre das Arbeiten seiner Ansicht nach völlig überflüssig! Ja, näh, ist klar! »Und wie kommt das da rein?«, fragte ich meine kleine Intelligenzbestie. »Da ist ein Drucker drin, Mama!« So, so. Schlaues Kind, was? Ich frage nur: «Warum hat denn dann nicht jeder einfach so einen Drucker zu Hause?» Dieser Donald war schon ein pfiffiges Kerlchen, und wir mussten ganz schön aufpassen mit unseren Antworten auf seine wissbegierigen Fragen. Verarschen war nicht drin, denn Donald fragte sehr lange nach und wehe wir verhedderten uns im Notlügengestrüpp! Also haben wir immer versucht, seinen Wissensdurst ordentlich zu stillen

In vielen Dingen ist das Kind mir wirklich sehr ähnlich, aber in einem Punkt trennen uns Welten: Donald verkleidet sich nämlich sehr gerne und liebt Karneval heiß und innig!!!! Im Gegensatz zu mir! Ich mag Karneval so gerne wie einen rostigen Nagel im Knie, um ehrlich zu sein. Ich habe immer gesagt: »Ich bin das ganze Jahr verkleidet und lustig, da brauche ich keinen Karneval!« Donald dagegen liebt Karneval und zieht das konsequent durch, und seinen Hang zu obskuren Karnevalsverkleidungen hat er sich von niemandem ausreden lassen! Noch etwas, was mir nicht gerade fremd ist, obwohl … Aber bleiben wir bei Donald.

Das allererste Kostüm von Donald war ein Neandertaler. Da habe ich ihm – weil ich ja immer gerne verrückte Klamotten gemacht habe – aus so Leopardenfell was genäht, so fredfeuersteinmäßig, und dann bekam er natürlich noch so eine Riesenkeule, das war für ihn natürlich das Tollste am Kostüm.

Und dann war er Hippie, da hab ich ihm selbstverständlich die hippigste Seventies-Schlaghose gemacht, die er sich vorstellen konnte. Da ging natürlich auch immer immens viel Zeit drauf, vor allem als die Kostümwünsche jedes Jahr immer abgefahrener und ausgefallener wurden. Frei nach dem Motto: »Und jetzt will ich eine Roboterlaterne.« Dann musste natürlich ein Roboter gebaut werden mit so flexiblen Armen, und ich saß dann hier immer bis tief in die Nacht und habe einen verfluchten Roboter gebaut, damit mein Kind Spaß wie ein Schnitzel hatte.

Ausreden wie »das ist mir zu kompliziert« hat er natürlich nie gelten lassen, weil er ja wusste, dass ich das irgendwie immer hinbekam. Seine Karnevalskostüme wählte er natürlich mit sehr viel Leidenschaft aus, was leider nicht immer auf Bewunderung und Toleranz traf. Ich weiß es noch, als wäre es gestern gewesen: Mit sechs Jahren wollte er unbedingt Einstein werden. Er hat dieses berühmte Foto von Albert mit der ausgestreckten Zunge gesehen, das fand er sehr, sehr lustig, und als dann klar war, dass Einstein ein berühmter Wissenschaftler war, gab es überhapt kein Halten mehr! Und Donald ging sogar noch einen Schritt weiter, das Verkleiden als Einstein war meinem kleinen Maniac nicht genug: Dazu wurden dann noch Formeln gelernt, Einsteins Lebenslauf et cetera, et cetera, et cetera! Er wollte »abgehört« werden und fragte am Abend vorher, wann er denn morgens in die »Maske« müsste – für Schminke, Perücke und Schnäuzer! Perfekt verkleidet und geschminkt verschwand mein Kind also in den Kindergarten, wo eine große Karnevalsveranstaltung stattfinden sollte. Und dann passierte das große Unglück: Die anderen Kinder dachten, er sei ein oller Opa und fanden seine Verkleidung doof und blöd. Ich glaube, sie haben ihn sogar richtig aufgezogen mit seinem Opa-Look! Donald war fix und fertig, er weinte stundenlang und war nicht mehr zu beruhigen, aber durch gar nichts! »Die anderen Jungs sind Cowboy und Polizisten und Soldaten und alle viel zu doof und die Weiber bloß alle Prinzessin«, heulte er entsetzt und schluchzte wie ein Schlosshund! Es brach mir fast das Herz, den kleinen Schatzek so weinen zu sehen. Ich versuchte ihm zu erklären, dass es nicht immer einfach ist, wenn man anders sein will als die anderen! Aber so traurig er auch war: Polizist und Cowboy kamen für meinen Sohn nicht in Frage.

Als ich Jahre später in Hamburg den »Bullenbraut«-Krimi drehte, wollte er unbedingt Ägypter werden – aber nicht mit Blau und Gold, sondern ein »Arbeiterägypter«! Schön und gut, aber wie sieht denn bitteschön ein ganz normaler Arbeiterägypter aus?

Er fragte mich natürlich auch, wie denn so die Menschen in Hamburg verkleidet wären. Als ich ihm recht lakonisch erklärte, dass ich in der ganzen Zeit nur eine schwarz gekleidete Frau mit einer roten Pappnase gesehen hatte, fragte Donald mich völlig fassungslos: »In welchem Land bist du denn da? Das kann ich nicht glauben!« Aber ich habe nun mal keinen verkleideten Menschen in Hamburg gesehen, und das Kind war darüber einfach nur entsetzt. Er machte sich daraufhin an die Aufgabe, seinen Arbeiterägypter in die Praxis umzusetzen: ein Gewand aus einfachem Baumwollnessel und schön braun, dazu alte Latschen! Aaaaha! Aber Leute, wie das Kind darauf kommt, ein Arbeiterägypter zu werden, das will mir bis heute einfach nicht in den Schädel. Das war aber auch schon vor dem Schlaganfall so, nur dass das klar ist! Und ein Ende der obskuren Verkleidungen ist auch nicht in Sicht: Inzwischen war er auch noch Paris Hilton, dafür musste natürlich ein Stoff-Tinkerbell in eine kleine Handtasche genäht werden und ein pinkfarbenes Handy musste her! Als ich im Krankenhaus war, brachen im wahrsten Sinne alle Dämme, denn er ging als Cindy aus Marzahn im umgeschnallten, geliehenen Fatsuit! Letztes Jahr war er dann vergleichsweise harmlos eine Wahrsagerin mit Plexiglaskugel. Mannomann! Ich bin sehr gespannt, ob ich neugierig bin, was da noch so alles auf uns zukommt! Die Wildecker Herzbuben? Bernd, das Brot?

Donalds Verhältnis zu anderen Kindern war jedenfalls im Gegensatz zu seinen Verkleidungen sehr unkompliziert: mit anderen Kindern kam er immer gut aus, auch in anderen Ländern. Als Donald ungefähr zwei Jahre alt war, verbrachten wir einen Urlaub auf Gomera. Dort lernte er ein etwa gleichaltriges Mulattenmädchen namens Zita kennen (lieber Till, sie hieß wirklich so, das ist wieder mal ein »Zufall« in unserer Freundschaft, was?) Die beiden freundeten sich ruckizucki an, und Zita besuchte uns von da an häufig in unserem Ferienhaus. Es war ziemlich heiß, und die Sonne briet in bester »Sengemann & Söhne«-Tradition selbst die härtesten Steine al dente, also holten wir eine Art Plastikwanne aus dem Schuppen raus und ließen die Kinder vergnügt darin baden, bis ihnen Schwimmhäute wuchsen. Hinterher fragte ich Donald interessiert, ob ihm denn an der kleinen Zita nichts aufgefallen sei? Daraufhin schaute mich der kleine Kerl nur fragend an und sagte: »Die war ein bisschen schmutzig, aber sehr lieb«! Die Kleine hatte zwei Mamas, sie lebte bei einem Lesbenpärchen, bestehend aus einer hellen und einer dunklen Frau. Die war aber nicht, wie man vermuten könnte, die leibliche Mama, nein – die helle war Zitas Mutter. Sie hatte wohl mal als Entwicklungshelferin in Afrika gearbeitet und hat sich ein schnuckeliges Projektandenken mit nach Hause gebracht!

Die andere kleine Zita, die Tochter von meinem Freund Till, mochte Donald auch immer wahnsinnig gerne, weil er sich wirklich Zeit nahm und eine Engelsgeduld aufbrachte, um mit dem damals zweieinhalbjährigen Wirbelwind zu spielen. Sie taufte ihn damals Döner-alt, darüber amüsieren wir uns heute noch wie Bolle! Entschuldigen Sie den kleinen Einschub, aber das fiel mir gerade so ein und ich wollte es auf keinen Fall wieder vergessen. Darum habe ich es lieber gleich aufgeschrieben.

Also zurück zu den lustigen Ferienerlebnissen mit Klein Donald. Im nächsten Sommer waren wir auf Paros – das ist eine griechische Insel in den Kykladen. Donalds Papa Thomas hatte damals schon eine Glatze, aber mit Donalds Worten wurde dieser Zustand schon sehr liebevoller umschrieben: »Mein Papa hat keine Glatze, er hat ebend nur klitzekleine Haare!« Thomas trug Donald immer auf den Schultern, weil Donald sich aber an den klitzekleinen Haaren natürlich nicht richtig festhalten konnte, hielt er sich an Papas Ohren fest und thronte auf der Schulter meines Mannes wie ein schiffschaukelnder Matrose im Ausguck. Sobald er dann das Meer erspähen konnte, schrie er immer aus vollem Hals: »Sasser, Sasser, ganz viel Sasser!« Die griechischen Kinder auf Paros sind wahrscheinlich heute noch der Meinung, dass Meer und Wasser auf Deutsch »Sasser« heißen. Da Donald morgens schon so fit wie ein Schrank voller Turnschuhe war, bin ich mit ihm immer direkt nach dem Frühstück an den Strand gegangen, damit er sich austoben konnte, bevor die große Mittagshitze nur den fluchtartigen Rückzug in das kühle Haus zulassen würde. Eines Morgens gesellte sich eine griechische Familie zu uns an den Strand, und der Vater hatte ein kleines Transistor-Radio dabei, um in Ruhe auf seiner Decke Sport oder Nachrichten zu hören. Mein Gott, was hat Vater Zeus ein Fass aufgemacht, bis er alles richtig beisammen hatte. Erst wurde der Sand glatt geklopft, mit der Schüppe von seinem Sohnemann Herkules. Der fand die Schüppe eigentlich total uninteressant, aber sobald sein Vater das olle Plastikding in die Hand nahm, wollte er sie natürlich auch haben. Da der stolze Griechendaddy aber den Sand für einen ebenen Untergrund unter seiner Decke planieren wollte, war er nicht bereit, die einzige Schüppe weit und breit mit seinem Sohn zu teilen. Er herrschte stattdessen – was der Mutter des Kindes beziehungsweise seiner Frau ziemlich aufs Gemüt schlug – das heulende Kind auf Griechisch an. Eine Sprache, die ich zwar nicht beherrsche, aber der Wortinhalt muss folgender gewesen sein: »Hör zu, Herkules! Du kannst die Schüppe gleich haben, aber wenn du nicht sofort aufhörst zu heulen, dann mach ich dich zum Zyklopen, du Jammerlappen!« Das hatte die – ich tippe mal auf die Mutter von Zeus – Oma des Kindes genau vernommen und schlug daraufhin mit einem verkniffenen Mund unter ihrem Damenbart dem gewaltbereiten Zeus die Schüppe energisch aus der Hand, um sie ihrem heulenden Enkel zu geben. Der hörte zwar daraufhin nicht auf zu kreischen, aber mit der Schüppe in der Hand schrie er wenigstens ein bisschen leiser. In der Zwischenzeit hatte der selten so in der Öffentlichkeit gedemütigte Zeus seinen Sandunterboden mit bloßen Händen bearbeitet und versuchte nun ziemlich vergeblich, aber ausdauernd im sanften Mittelmeerwind seine Decke faltenfrei auf den planierten Strand zu drapieren. Nach fünf Minuten gab er entnervt auf und legte die Decke gespielt lässig einfach so auf den mittlerweile von seinem kleinen Herkules wieder umgepflügten, welligen Sandstrand.

Um sich ganz in Ruhe seinem Transistorradio zu widmen. Nachdem er eine gefühlte Ewigkeit an der Antenne rumgefummelt hatte, ertönte ein griechischer Sängerchor, der es sich zur Aufgabe gemacht hatte, mit Hilfe einiger zupfender Bouzukipartisanen den Castrop-Rauxelner Spatzen mal zu zeigen, was man so unter amtlicher griechischer Folksmusik versteht. Hilfe, das klang für meine ungeübten Ohren doch mehr nach gerissener Bergziege. Schon klar, liebe Leser – bitte beruhigen Sie sich – der normale Grieche als solcher wird beim Anhören Kölscher Karnevalsmusik wohl auch nur erschütternd anmerken, dass da rein akustisch gegen die Genfer Menschenrechtskonventionen verstoßen wird. Während also das Radio dudelte, versuchte sich Zeus auf seiner Decke einem kleinen Entspannungschlummer hinzugeben. Das wiederum wusste mein Sohn Donald zu verhindern, indem er ständig auf die Decke krabbelte und dem Mann das Radio wegnahm! Darüber war Herr Zeus ungefähr so begeistert wie ein Pfund Mett im Schokobrötchen, is' klar. Aber Rummeckern mit kleinen Touristen ging ja auch nicht wirklich. Also ließ er Karel Gott einen guten Mann sein und überließ die Abwehr des teutonischen Plagegeistes lieber seiner Frau! Die Frau, in erster Linie auch Mutter und als griechische Mutter voller Sympathie für meinen kleinen blonden Engel (es gibt halt nicht so viele blonde Griechenkinder), dachte aber gar nicht daran, Zeus aus der Patsche zu helfen. Also nahm die bärtige Oma wieder kurzentschlossen das Heft des Handelns in die schwielige Hand und verstaute das schnell stillgelegte Radio kurzerhand in der Familienkühltasche. Da kannte sie aber den teutonischen Starrsinn meines Sohnes nicht, er krabbelte sofort wieder rüber auf die Decke, machte die Tasche auf und kippte ohne zu zögern den kompletten Inhalt auf die Decke. Schnappte sich schwuuppdiwupp das Radio, floh auf unser Handtuch zurück und sah Papa Zeus unbeeindruckt und triumphierend beim Schmollen zu! Die Frau beteuerte per Handzeichen immer wieder, dass das alles kein Problem wäre, aber ich wollte nicht weiter stören und versuchte zu vermitteln, dass ich sowieso dringend weg müsste, weil mir das mittlerweile doch sehr peinlich war. Außerdem hatte ich auch ein bisschen Schiss vor der Oma.

Was lernen wir daraus? Der griechische Mann hat offenbar Respekt vor seiner Mutter. Und da die deutsche Touristin Gaby Köster ebenfalls in das gleiche Horn stieß, packte ich also hastig unsere Sachen, und wir zogen eine Badebucht weiter, in der Hoffnung, dass diese dann eine radiofreie Zone war.

Ich war damals schon immer halb verängstigt, begeistert und gleichzeitig auch sehr fasziniert von der Sturheit, die Donald an den Tag legen konnte. Oder von seinem originellen Umgang mit Sprache. Als Kind wurde er natürlich wie alle Kinder oft gefragt: »Wie heißt du?« Und das Kind sagte: »Donald.« Als einer Person, an die ich mich leider nicht mehr namentlich erinnern kann (was mir etwas leid tut, denn ich fand die Frage von ihr sowieso etwas bekloppt) das nicht reichte und fragend nachsetzte: »Und wie wirst du gerufen?«, antwortete mein kluges Kind völlig selbstverständlich: »Donald, komm mal bitte!«

Es ist mir natürlich klar, dass der liebe Donald viel von meinen verrückten Genen abbekommen hat! Ich war als Kind auch berüchtigt für meine verbalen Ausrutscher. Als ich ungefähr sechs Jahre alt war, bin ich irgendwann mal voller Wut zu meiner Mutter in die Küche gestampft und habe lauthals gefordert: »Ich möchte jetzt endlich mal wissen, wer meine richtigen Eltern sind!« Da keiner meiner Eltern blonde Haare hatte, war in mir der furchtbare Verdacht aufgekeimt, man hätte mich adoptiert. Meiner Ansicht nach konnte es da nicht mit rechten Dingen zugehen. Meine arme Mutter ist fast in Ohnmacht gefallen und hat diesen Spruch bis heute nicht vergessen. Was wiederum auch nicht so schlecht ist, weil wir ihn somit zum Besten geben können. Mein Donald bringt zu meiner Begeisterung auch oftmals solche Megaklöpse.

An einem sehr heißen Sommertag, als das liebe Kind von mir schon circa sechs Eis spendiert bekommen hatte, gelüstete es dem Schleckmonster noch nach einem siebten Eis, und als ich ihm diesen Wunsch zu seinem Entsetzen unnötigerweise verweigerte, warf er sich auf den Fußboden im Supermarkt und brüllte mit voller Verzweiflung: »Ich hatte noch niemals ein Eis in mein ganzes Leben!« Toll. Die gleiche Nummer mit dem exakt selben Satz – nur das Wort »Eis« wurde gegen das schöne Wort »Spielzeug« ausgetauscht – brachte er dann im Spielzeugladen. Wenn das nicht clever ist, dann weiß ich es aber mal auch gar nicht, Freunde des gepflegten Wutanfalls! Aber eigentlich waren Supermärkte sein bevorzugtes Terrain für spontane Unmutsäußerungen. Noch ein kleines Beispiel? Noch weniger begeistert war ich auf jeden Fall auch von Kommentaren wie diesem – in einem Supermarkt stand ich mit meinem drei Jahre alten Kind in der Schlange und vernahm voll peinlichem Entsetzen den leicht bewundernd und gleichzeitig faszinierten, angeekelten Ausruf meines

Sohnes: »Iiiiih, Mama, guck mal die hässliche, alte Dame hat ganz lange Titten!« Das war einer dieser Momente, wo ich wirklich auch selber sprachlos war, was nicht allzu häufig vorkommt. Gott sei Dank war ich zu dieser Zeit noch nicht ganz so prominent wie zu »Ritas Welt«-Zeiten.

Das waren harte Zeiten für meinen Sohn, und er bekam manchmal auf unliebsame Art zu spüren, was es heißt, wenn viele wildfremde Menschen Mutti aus dem Fernsehen kennen. Als Donald eingeschult wurde, wünschte er sich von mir, dass ich ein weißes Hemd und eine ganz normale Jeans anziehe. Er wollte auf jeden Fall, dass ich wie eine ganz »normale« Mutter aussehe, was ich irgendwie auch verstanden habe. Keine bunte, auffällige Promi-Mama sollte ich sein, sondern unauffällig normal wie die Mamas seiner Mitschüler. Kinderlogik, die in unserem Beruf weit verbreitet ist. Also bin ich seinem Wunsch nachgekommen und habe mich wie eine normale, bürgerliche Mutti verkleidet und vor der Schule auf meinen stolzen Sohn gewartet. Als er nach der Einführungsstunde wieder vor mir stand, fragte ich ihn natürlich – wie sich das für eine gute Mutti gehört –, wie es ihm denn gefallen habe. Mit völligem Ernst guckte mich mein Sohn an und antwortete staubtrocken: »Ganz gut. Aber morgen geh ich mal nicht hin. Vielleicht übermorgen wieder.« »Übermorgen« machte sich dann auch mein voller Promifaktor mit seinen bizarren Nebenwirkungen für Donald bemerkbar. Obwohl er sich nie beschwert hatte, erzählte er mir erst neulich diese kleine, große Geschichte: Ich hatte ihn zur Schule gebracht, und er sprang aus dem Auto und lief auf den Eingang zu. Als er wieder umdrehen wollte, weil er mich noch mal herzen und verabschieden wollte, war ich schon von einem Dutzend Fans umlagert, und es gab für ihn kein Durchkommen mehr.

»Da war ich damals sehr traurig drüber«, sagte er, und als er es mir erzählte, versuchte er es distanziert rüberzubringen, aber ich konnte in seinen Augen sehen und am Klang der Stimme hören, dass es ihn sehr verletzt haben musste.

Aber je älter er wurde, desto besser wurden seine Tricks, um unsere Privatsphäre ab und an zu schützen. Zum Beispiel im Urlaub hat Donald sich gerne mit mir auf Sächsisch unterhalten. Das haben wir oft und gerne auf dem Hippiemarkt auf Ibiza gemacht, damit wir einfach in Ruhe und unbehelligt die Stände durchstöbern konnten. Denn gerade im Urlaub und mit einer Kamera bewaffnet verlieren viele Fans manchmal ihre letzten Hemmungen und schrauben sich die dicksten Dinger raus. Ich werde nie vergessen, wie wir am Strand lagen – ich mit Sonnenbrille auf dem Kopf und die Kopfhörer eingestöpselt. Und wie ich da so nichtsahnend in der Sonne döste, näherte sich mir ein deutscher Bewunderer meiner Kunst, nahm mir den Hörer vom Kopf und blökte mir völlig erstaunt ins linke Ohr: »Haaaalllo, machen Sie Ferien hier?« Ich antwortete nicht ganz wahrheitsgemäß: »Nein, ich mache hier gerade die Kanalisation neu! Was haben Sie denn gedacht, wonach das hier aussieht?« Im selben Urlaub verfolgte mich ein deutscher Tourist sogar mit seiner Videokamera bis vor die Tür der Damentoilette des Restaurants. Auch er bewies überraschenderweise viele, offensichtlich jedoch leider stillgelegte oder nicht brauchbare Intelligenzreserven mit der Lieblingsfrage aller Promi-Urlaubs-Entdecker: »Was machen Sie denn hier?« Ich sagte: »Sie werden es nicht glauben, aber ich habe gerade auf der Toilette Madonnas neue CD eingesungen! Und wenn Sie noch ein bisschen Zeit und Geduld haben, dann kann ich die Kloszene ja für Sie noch mal nachstellen!« Das Einzige, was meinem großen Fan dazu einfiel, war: »Machen Sie Urlaub?« Ich schickte ihm ein letztes »Menschen wie ich machen keinen Urlaub« über die Schulter und ließ ihn einfach mit seiner Kamera da stehen.

Leute, meine Familie hat was mitgemacht manchmal, aber wir haben es meistens mit Humor genommen und sind locker geblieben. Selbst Heiko, der sächsische Tourist mit dem großen, grünen Gummikrokodil auf dem Arm, konnte uns nicht wirklich erschüttern mit seiner im reinsten Dialekt vorgetragenen Bitte, ob er nicht mal von mir ein Video machen könnte.

Ich habe meinem kleinen Sohn immer versucht zu erklären, was das alles auf sich hat mit dem Unterschreiben auf Wursttüten, Bierdeckeln, T-Shirts, und dass wir auch dankbar sein sollten, dass wir ein so schönes Leben führen können. Und alles in allem hat sich Donald trotz meines Berufes und seiner Nebenwirkungen ganz normal entwickelt – soweit das bei der erblichen Vorbelastung halt möglich ist! Er hat als Kind immer ganz fasziniert gesagt: »Guck mal, da sind wieder die Gaffer!« Und oft genug hatte ich auch den Eindruck, dass er das gut fand, dass die Leute *mich* so gut finden. Kinder sind ja sowieso gerne stolz auf ihre Eltern.

Wie gesagt: Ich habe ihm immer versucht, mit auf dem Weg zu geben, dass wir dafür dankbar sein sollten, dass mich die Menschen mögen. Aber ich habe ihm auch immer versucht zu vermitteln, dass sich das auch jederzeit ändern kann und man sich deswegen nicht allzu viel darauf einbilden sollte. Wichtig ist doch, dass man seinen eigenen Weg findet und sich selbst treu bleibt. Das hat der Junge prima bewerkstelligt, jawoll. Und seien wir doch mal ehrlich: Normal kann doch jeder! Lieber ein bisschen bekloppt und glücklich.

Ich bin sehr glücklich mit meinem Kind und stolz, dass er die schwierige Zeit seit meinem Schlaganfall, so gut er konnte, gemeistert hat. Wenn ich mir vorstelle, was da alles über ihn hereingebrochen ist wie ein Tornado – von Todesangst um mich bis hin zur Wut auf die Krankheit, die auch sein Leben drastisch verändert hat, ob er wollte oder nicht. Er hat mich mal nach dem Schlaganfall vor Wut angeschrien: »Du bist nicht mehr meine Mutter!« Das war sehr hart und traurig für mich, denn in dieser wütenden, absichtlich rausgehauenen Anklage steckt ganz tief leider auch ein bisschen die Wahrheit. Natürlich werde ich immer seine Mutter sein, das ist schon klar und natürlich nicht das, was Donald meinte. Was mein Sohn meinte ist, dass es die Mutter, die ich *vor* dem Schlaganfall für ihn war, nicht mehr gibt, da hat er schon recht! Ich bin so gesehen Gaby Mk II! Ich muss meinen Weg in mein neues Mutterdasein genauso herausfinden, wie Donald seinen Umgang mit mir neu definieren muss. Er ist wesentlich autarker und früher selbstständig geworden, als mir und ihm lieb ist. Aber so ist das nun mal: Das Schicksal interessiert sich einen feuchten Kehricht um unsere Vorstellung von einem glücklichen Leben. Zeit für eine dieser typisch kölschen Phrasen, die leider nicht von der Hand zu weisen ist: »Et kütt wie et kütt!«

Auf eigenen Beinen aus der Klinik

Am 30. Juli 2008 wurde ich aus der Rehabilitationsklinik entlassen. Schon wieder ein Datum mehr in meinem bescheidenen und kurzen Leben, das ich so schnell nicht vergessen werde. Vom 8. Januar bis zum 30. Juli – das war für mich nicht nur die längste Zeit in einem Krankenhaus, sondern auch eine Zeit, in der mein bisheriges Leben wie ein marodes Haus Stockwerk für Stockwerk gesperrt und für nicht mehr betretbar erklärt wurde. Schönes Bild, wenn ich es mir gerade mal so überlege.

Über das neue Leben hatte ich mir weniger Gedanken gemacht. Ich fand es schon schwierig genug, mit den momentanen Begebenheiten fertig zu werden und gleichzeitig das alte Leben zu verkraften, abzuspeichern, in Frage zu stellen und vor allen Dingen wieder erst mal auf die Festplatte zu kriegen!

Die Folgen des Schlaganfalls sind so weitreichend und haben enorme Konsequenzen für mein alltägliches Leben. Genau deswegen habe ich dieses Buch geschrieben. Um mir und anderen betroffenen Menschen Mut zu machen. Denn ich weiß jetzt: Ich brauche Unmengen an Geduld und positive Energie, aber es wird besser! Auch, wenn man manchmal selber zweifelt. Was wohl kaum verwerflich ist! Auch ich sage immer wieder gerne diesen alten Spruch auf, der so wahr ist: »Verzeihlich ist im Leben, einmal hinzufallen, aber unverzeihlich, liegenzubleiben!« Oder – wer es lieber mit den Worten von Winston Churchill sagen möchte: »Die Kunst ist, einmal mehr aufzustehen, als man umgeworfen wird!« Paul McCartney sang: »It's getting better all the time!« Worauf der zynische Herr Lennon allerdings entgegnete: »Couldn't get worse«! Tja – und wie immer haben beide recht, aber ihr dürft euer Ziel nicht aus den Augen verlieren, auch wenn es Tage gibt, an denen man sich fragt, ob es nicht besser wäre wenn ... NEIN! Wäre es nicht. Solange ich kein armes Wesen bin, das an Geräten hängend dahindämmert, brülle ich euch dieses »Nein« an die Birne!

Leute, lasst euch nicht beirren, steht euch selber nicht im Weg! Bitte! Macht es euch nicht schwerer, als es sowieso schon ist: Haltet durch, es lohnt sich und es geht immer weiter! Auch, wenn es manchmal nur ganz klitzekleine Minischritte sind. Mühsam ernährt sich das Eichhörnchen, und Kleinvieh macht auch Mist. Der stete Tropfen höhlt den Stein und wer »A« sagt, der muss auch »... schloch« sagen. Habe ich jetzt alle Phrasen durch? Gut, das kann nie schaden. Aber ich weiß auch, warum ich diese Sprüche klopfe, denn ich hatte mir – was die Entlassung angeht – schon relativ früh in meinem Krankenbett geschworen: »Sie haben dich hier liegend reingefahren, Gabriele, und solltest du hier jemals wieder rauskommen, dann wirst du diese Klinik aufrecht gehend durch die Tür verlassen! Und wenn dafür noch ein Wunder geschehen muss!«

Im Ernst – ich wollte unbedingt auf meinen Beinen durch die ollen Türen gehen! Das war mir so wichtig wie

Derrick die Tränensäcke unter den Augen und der Fiffi auffer Omme!

Ich hatte ja in den Therapien gelernt, mit meinen Extremitäten zu sprechen wie Dr. Doolittle mit den Tieren: »Bein jetzt lang – und jetzt Ferse auf den Boden!« Das hilft ungemein, man soll es nicht glauben – aber es funktioniert auch. Fast immer manchmal und auch ab und zu mit viel Willenskraft! Das habe ich auch gelernt. Glauben ist sehr wichtig, denn es heißt ja nicht umsonst: »der Glaube versetzt Berge!« Am Anfang der Therapie habe ich zwar oft zaudernd gedacht: Gaby, gegen deine Berge ist der Himalaya ein niedliches, kleines Grashügelchen, aber so wird es Hannibal auch ergangen sein, bevor er Colonel Hatis Elefanten-Frühpatrouille im Winter über die Alpen geschubst hat, um die ollen Römer zu erschrecken! Im Laufe der unzähligen Stunden habe ich ja dann gemerkt, dass der Himalaya langsam kleiner wurde oder vielleicht auch nicht so groß war, wie ich ihn gemacht hatte. Oder sagen wir es noch anders: Vielleicht bin ich auch einfach mit Mut, Glaube und Verzweiflung über mich hinausgewachsen.

Am 30. Juli war es jedenfalls soweit: Meine Mutter und mein Sohn kamen, um mich nach Hause zu bringen. Ich bin mit meinem »Sherpa« Donald am Arm unten in der Empfangshalle losgegangen, immer wieder mein Mantra leise in mich hinein betend: »Langes Bein, Ferse auf den Boden!« Tusch, Trara und Jubel: Ich habe es geschafft – ich ging auf meinen eigenen Beinen durch die Tür! Leute, ich war ziemlich aufgeregt! Donald, meine Mutter und ich jubelten, heulten und freuten uns wie Bolle! Das war geschafft!

Wer uns allerdings an dem Tag beobachtet hätte, der

wäre nie im Leben darauf gekommen, dass es sich bei unserer Abfahrt um eine Entlassung und nicht um einen Umzug gehandelt hat – so viele Klamotten haben wir da rausgeschleppt! Glücklicherweise habe ich einen Kangoo, also einen kleinen LKW mit sehr großer Ladefläche, in den die ganzen Plüdden auch reinpassten: Fernseher, Computer, DVDs, CDs, jede Menge Bücher, Lichterketten, Stofftiere, Klangschalen, Rollstuhl und was man sonst noch so zum Leben braucht!!!

Der Abschied aus der Klinik fiel mir nicht ganz leicht, denn immerhin hatte ich dort fast sieben Monate meines Lebens verbracht, mit sehr vielen Tiefen, aber auch Höhen! Inzwischen konnte ich ja sogar schon einiges, wie zum Beispiel eben an der Hand laufen – aber von der Selbständigkeit war ich immer noch so weit weg wie Frankensteins Braut von einer Schönheits-OP, Meister Proper von Dreadlocks und Käpt'n Ahab vom Marathonlauf!

Aber egal, irgendwann hatten wir meinen halben Unterhaltungselektronikshop eingeladen, und so fuhren wir dann endlich und erst mal glücklich nach Hause.

Die erste Nacht zu Hause war sehr aufregend, denn ich schlief nicht in meinem angestammten Schlafzimmer im ersten Stock des Hauses, sondern in einer Ecke des Wohnzimmers in einem extra angeschafften Pflegebett – das kann man rauf- und runterfahren und das Kopf- und Fußteil verstellen, und außerdem ist dort unten ebenerdig eine Toilette. Das ist sehr von Vorteil, denn mal eben zum Pieseln in der Nacht ein paar Treppen steigen, geht noch nicht, da erstens kein Geländer auf der rechten Seite montiert ist, und zweitens alles natürlich auch viel zu viel Zeit in Anspruch nehmen würde, was bei der oftmals gebotenen Dringlichkeit einer vollen Blase kontraproduktiv wäre.

In der ersten Nacht hat sogar die Mum neben mir geschlafen, sicherheitshalber. Sie hat mich sozusagen gut abgesichert, denn in der Klinik hatte ich ja noch ein Sicherheitsgitter am Bett, was ich zu Hause nicht hatte. Also hat die Mum – praktisch denkend wie sie nun mal ist – mir ein Seitenschläferkissen (eine lange Kissenwurst) in den Rücken gepackt, mit der Bettdecke eingeklemmt und den Rolli mit angezogenen Bremsen davor gestellt! So konnte ich nicht aus dem Bett fallen. In der Nacht musste ich sie leider mal wecken, weil ich zur Toilette musste, aber bald schon schaffte ich das, dem Himmel sei Dank, ganz alleine mit dem Rolli.

Da das große Badezimmer natürlich auch im ersten Stock ist – schon was gemerkt? Richtig: Häuser werden meistens nur für junge und kerngesunde Menschen gebaut! –, wusch ich mich in der ersten Zeit mit Hilfe meiner fast siebzigjährigen Queen Mum in der Küche! Ja, und? Hat man früher auch so gemacht. War auch nicht alles schlecht, früher! Und Wasser bleibt Wasser. Ich kann mir den Luxus der Intimsphäre sowieso vor meiner Familie nicht leisten, so sieht das nämlich mal aus! Natürlich ist mir das manchmal peinlich, aber erst mal geht es eben nicht anders und – besser so als tot! (Tolles Argument, oder? Zieht immer, außer bei übelsten Depressionen – wenn die am Start sind, frage ich mich natürlich, ob ich nicht besser in Ruhe eingeschlafen wäre, anstatt mir den ganzen Driss hier anzutun!) So richtig peinlich war mir in der ersten Zeit zu Hause nur, dass ich mich bei meinen Bemühungen, alleine auf die Toilette zu gehen, manchmal etwas verkalkuliert habe. Um genauer zu werden: Ich habe zu lange gewartet, und da nach dem langen Katheter das Pieseln erst wieder geübt werden musste, ging es oft schon mal *vor* der Toilette los und nicht erst auf ihr. Das hatte natürlich zur Folge, dass mein Herr Sohn zu mir völlig konsterniert sagte: »Gaby, das geht so nicht! Du kannst nicht einfach vor die Toilette pinkeln!« Da wäre ich vor Scham am liebsten selber im Klo versunken. Eine Mischung aus Scham, Wut und Verzweiflung kam in mir hoch. Dafür hab ich dieses Kind also großgezogen und ihm nicht nur den Hintern abgewischt: Damit der Bengel mir die große Neuigkeit verkündet, dass man nicht vor, sondern in die Toilette pinkeln soll. Großartig! Helft euren Müttern, ja schönen Dank auch!

Ich habe ihn mindestens für eine Woche geistig enterbt, Strafe muss sein. Allein schon, weil ich fast geheult habe, vor Ohnmacht. »Mein lieber Sohn, ich hätte es auch sehr gerne anders gemacht und dir und mir das Debakel erspart, aber wenn es erst mal läuft, dann kann man es nicht mehr aufhalten, dann läuft es, bis es aus ist!«

Donald hat das dann auch verstanden, aber dadurch wurde diese Erfahrung auch nicht schöner!

Es sind die Belanglosigkeiten des Alltags, die mich immer wieder fertigmachen. Sachen, über die man als gesunder Mensch nicht eine Minute Nachdenken verschwendet. Die selbst für Kleinkinder selbstverständlich sind und ohne große Mühen ausgeführt werden können: Mal eben zur Toilette gehen, sich den Hintern abwischen, fix duschen und Haare waschen, Tür aufmachen, schnell noch einen Happen essen, mal eben einkaufen gehen! Ich scheitere schon am Anziehen – das ist auch nicht gerade einfach, wenn eine Hälfte meines Körpers Befehlsverweigerung praktiziert! Und über »lass dich mal eben in die Arme nehmen, mein Sohn« will ich jetzt gar nicht reden, weil ich sonst wieder schlecht draufkomme. Der verdammte Alltag kann an schlechten Tagen schon genug nerven. Ich habe mich mal bei dem Versuch, mir selbständig eine Jacke anzuziehen, mit genau dieser gefesselt, aber die Mum konnte ihre amateurhafte Houdini-Tochter Gott sei Dank wieder befreien.

Die Mum ist unglaublich, ich weiß nicht, wie sie das macht und wo dieser kleine Körper diese Gigawatt von Energie hernimmt – aber von Anfang an kriegten wir das irgendwie zusammen hin, with a little help from my friends natürlich! Die Mum sagt immer: »Wenn man liebt, geht alles!« Das ist zwar auch wieder ein dickes Klischee und nicht immer richtig zutreffend, aber wenn dieses Klischee auf den richtigen Menschen trifft – wie zum Beispiel wie bei der Mum – dann ist wohl sehr viel Wahres dran! Nur mal fürs Protokoll: Ohne die Mum wäre ich heute längst nicht da, wo ich bin!

Inzwischen ist meine Mutter einundsiebzig Jahre alt und manchmal macht es mich tieftodtraurigmich, dass sie ihr ganzes Leben lang immer soviel arbeiten musste. Und just als sie eigentlich an der Reihe war, nur noch das Kapitänsdinner auf dem Traumschiff zu genießen, komm ich mit einem drisseligen Hirninfarkt und vermassel ihr die Tour! Sie hat echt was anderes verdient, diese zierliche, zerbrechliche und doch so taffe und mutige Frau! Jawoll, meine Mutter ist sehr mutig, das zeigt sich schon in so einem kleinen, für einige Leute vielleicht unbedeutenden Detail (aber nicht für sie!): Die Mum fährt eigentlich einen kleinen Fiat, und für sie war mein Kangoo immer ein »großes Auto«, mit dem sie nicht fahren wollte, schon gar nicht in diesem schrecklichen Schneewinter 2010. Aber ich musste ja schließlich immer zur Therapie gefahren werden und deswegen hat sie allen Mut zusammengenommen und zu mir gesagt: »Wir lassen uns von dem schangeligen Winter nicht deine wichtigen Reha-Anwendungen verschneien! Wir müssen mobil bleiben, ich muss und ich werde dieses Auto fahren!« Und so düsen wir nun überall hin. Weil die kleine Frau so groß und stark ist. So, wenn das nicht mutig ist, dann weiß ich es auch nicht mehr! Da kommt mir gerade wieder dieser Dylan-Song in den Kopf, mit dieser Textzeile »All I gotta do is survive«.

Jaja, das Überleben. So manches Mal nach dem Schlaganfall denke ich in dunklen Stunden, dass ich nicht unbedingt Angst vorm Tod habe, sondern dass es eher das Leben ist, das mich manchmal zu Tode ängstigt! Und jetzt kommen Sie!

Von Jugend und Verschwendung

Aber dunkle Stunden – das sollte man sich auch immer eingestehen –, die hat man auch als gesunder Mensch. Ich hatte solche von mir zärtlich »Depressigonen« genannten Zustände auf jeden Fall. Aber daheim geht es mir oft genug auch einfach nur sehr gut. Wann immer mein Fulltime-Job »Schlaganfall« mir eine Pause gönnt, mache ich es mir schön gemütlich, oder ich sitze bei schönem Wetter in meinem wunderschönen Garten – auch »grünes Wohnzimmer genannt« – und freue mich über die Natur. Vor meiner Erkrankung war mir gar nicht so bewusst, wie wunderschön mein Garten ist, weil ich immer unterwegs und oft einfach nur von Termin zu Termin gehetzt bin. Und wenn ich dann mal zu Hause war, war ich einfach überhaupt nicht entspannt genug, um meine Seele mit einer banalen Stunde im Garten zu befrieden und meinen Körper dabei in erholsamen Ruhezustand zu versetzen. Das macht mich oft sehr traurig, aber ich bin klug genug, um zu verstehen, dass diese Traurigkeit eben auch Trauer über »die alte Gaby« ist, die zwar körperlich fitter, aber trotzdem im Rückspiegel betrachtet oft genug auch mental gehandicapt war! Heute – und darin liegt sicher auch eine gewisse Ironie – bin ich zwar körperlich behindert, aber ich habe gelernt, so einfache Sachen wie eine Stunde Ruhe im Garten zu genießen und daraus Kraft und positive Energie zu ziehen! Das ist wirklich so paradox und so krude, dass ich es eigentlich gar nicht oft genug sagen kann: Warum erkennen wir so oft erst, wie gut wir es hatten, wenn es unwiderruflich vorbei ist? »Youth is wasted on the young«, behauptet George Bernard Shaw. Interessanter Ansatz! Die Jugend wird an die Jugendlichen verschwendet, sagt der weise, alte Mann. Weil die Jugend nicht zu schätzen weiß, dass man nie wieder so voller Energie, so unbekümmert, so neugierig, so voller Neugierde und Tatendrang sein wird? Könnte man nicht auch sagen: Weil sie sich keinen Kopf macht, dass Drogen dem Körper schaden, keine Bildung sich irgendwann nicht bezahlt macht und Alkohol auch keine Lösung ist? Ja, schon gut, auch ich kenne den alten Bildungswitz: »Alkohol ist keine Lösung, sondern ein Destillat!« Harharhar! So lachte immer Kater Carlo in den Mickey-Maus-Heften. Nicht, dass das jetzt wichtig wäre, aber es fällt mir gerade mal ein.

Wo war ich stehengeblieben? Hier: Es hat immer etwas Arrogantes in meinen Augen, dieses »Youth«-Zitat. Jaha, im Alter sind wir ja so schlau und wissen das natürlich alles. Ach, hätten wir doch damals schon gewusst, was wir heute wissen! Meine Güte, wie langweilig ist das denn? Die schlaue, starke Jugend? Wie soll das aussehen? Heute weiß die Jugend, dass ein Flachbildschirmmonitor 268 Millionen Farben hat. Wenn wir damals 268 Millionen Farben sehen wollten, dann haben wir ’nen Joint geraucht und Modern Talking gehört. Für die Farben und den Lachflash! Soll man das wirklich weglassen? Ist es manchmal nicht eher so, dass man als Jugendlicher viel dogmatischer ist und erst das Alter relaxter und friedlicher macht? Nein, nein, nicht die Jugend wird an die Jugendlichen verschwendet. Das Alter hasst das Älterwerden, so ist es doch! Der Geist öffnet sich und man fühlt sich eigentlich frisch und frei in der Birne, wenn da nicht beim Blick in den Spiegel das schon leicht verlebte Gesicht wäre. Oder beim Aufstehen die schmerzenden Knie.

Da fällt mir doch in dem Zusammenhang mal auf (Sportler jetzt mal ausgenommen): Wie viele Menschen in meinem Alter sehe ich mittlerweile joggend und walkend durch die Gegend schnaufen? Legionen schwingen die Stöcke, marodieren durch den Wald und atmen den Vögeln die Luft zum Fliegen weg! Und die Jugend ist da doch eindeutig in der Unterzahl? Das hätte mir einer damals frühmorgens nach der Schicht im »Out« sagen sollen:

»Du jetzt erst noch 'ne Stunde laufen!« Wat ein Gedanke! Selbst wenn man es wegen der Gesundheit gemacht hätte, was wäre dann »nicht« passiert? Ja, da will sich dann wieder keiner so richtig festlegen, schließlich qualmt Helmut Schmidt so viele Mentholzigaretten pro Tag, dass bald alle Mentholvorkommen der Erde aufgebraucht sein müssten und es bald deswegen nur noch künstliche Pfefferminzbonbons gibt! Und Schmidt ist trotzdem asbach-uralt! Und Jopi Heesters? Genau, auch geschenkt! Hat mit 100 das Rauchen aufgegeben, der Schelm! Jimi Hendrix ist mit 27 Jahren nicht an Drogen gestorben, sondern weil er beim Kotzen auf dem Rücken gepennt hat! Und jetzt noch mein Lieblingsspruch in diesem Kontext: Der Marlboro-Mann ist nicht an Lungenkrebs gestorben. Der hatte 'ne Pferdeallergie!

Machen wir uns nix vor, es ist doch so mit dem »Youth-Zitat«: Der vermeintlich endlich reife und gebildete Geist will nicht wie Streuobst auf der Wiese liegen mit Wurmstich und faulen Druckstellen, sondern lieber wie früher knackig, fest und leuchtend am Baum hängen! Ältere Intelligenzbestien im Jugendwahn mit der Vorstellung, dem unvermeidbaren Übel des körperlichen Alterns davonlaufen zu können! Jawollski, Freunde der tanzbaren Volksmusik, da heißt es tapfer wie Carmen durch den Nebel waten und sich schon mal unbedingt hinter die getackerten (ich war jung ...) Ohrlöcher einen Zettel stecken: »Älterwerden ist nicht für Feiglinge!« Da ist mir mal wieder der gute, alte Bob Dylan lieber, der sagt einfach nur: »But I was so much older then, I'm younger than that now.« Genau! Ich habe auch mit 20 Jahren geglaubt, ich wäre sooooo schlau und sooo erwachsen und würde es naturellement besser machen als diese komischen Erwachsenen. Geschenkt. Die Erkenntnis, dass es leider nicht immer so klug war, was man verzapft hat, und die Tatsache, dass das Altkluge größtenteils durch einen frischen, jugendlich offenen Geist (naja, in vielen Dingen jedenfalls!) ersetzt wurde, ist mir oft Trost genug!

Ich denke oft – gerade besonders durch den Schlaganfall –, dass es ungemein wichtig ist, dass wir unsere Erinnerung behalten und niemals vergessen. Wir müssen sie pflegen, denn wir können sie ja nicht noch einmal erleben. Was weg ist, ist weg. Und glauben Sie mir: Wie oft habe ich wegen dieses Buches hier gesessen und mich gefragt: Wie war das denn noch mal? Und wie oft habe ich mich dabei erwischt, dass tief in mir drin eine Erinnerung ist an Dinge, die ich nicht mehr wissen will. Oder ich denke mir, dass ich das unmöglich schreiben kann, weil es mich und andere Personen zu sehr verletzen würde. Erstaunlich ist, dass ich dann viel später manche dieser Gedächtnisbomben doch gehoben und in diesem Buch verarbeitet habe, weil ich begriffen habe, dass das Schreckliche oft seinen Schrecken verliert, wenn man es sich genauer anguckt. Oder aufschreibt. Quasimodo ist hässlich, aber nach einer Viertelstunde sieht er schon fast so aus wie Onkel Heinz … nur, dass der nicht so schöne Zähne hat.

Sehen Sie? Immer ran an den »Feind«. An den Schweinehund, den inneren! Graben Sie mal in alten Schlachten, die Sie geschlagen haben! Aber immer schön vorsichtig!

Denn es gibt natürlich auch immer wieder diese Punkte im Leben, an denen man ahnt: »Wieso, weshalb, warum?«, aber die Seele sagt: »Schön, liebe Gaby. Du meinst also, du könntest das alles … Du hast deine Ängste halbwegs im

Griff, du schwingst hier dicke Reden, Marke ›Hallihallo, ich bin trotz allem froh‹ ... dann werde ich, dein innerer Schweinehund, mal ein paar neue Fässer aufmachen. Mal gucken, ob du dann immer noch so gut drauf bist.«

Wie ich das denn schon wieder meine? Ganz einfach. Ich bin ja auch oft rausgegangen, trotz Rollstuhl ... habe mir viele Konzerte von Künstlern angeschaut, die ich lustig finde und auch persönlich mag. Zum Beispiel Willy Astor, Mike Krüger, Atze Schröder. Beim Atze-Konzert in Köln hat es mich dann erwischt. Ich meine: so richtig erwischt! Ich fühlte schon während Atzes Auftritt, dass ich ein bisschen traurig und wehmütig wurde. Die Atmosphäre, das Lachen, die vertrauten Gesichter meiner Agentur um mich herum ... und dann kam dieser beschissene eine Satz, der mich so dermaßen abgeholt hat, dass ich mich so zusammennehmen musste, um nicht sofort loszuheulen. Das Drama entwickelte sich so: Es gibt diese Stelle in Atzes Programm »Revolution«, da sagt der Meister der Pointenkanone, er werde sehr häufig gefragt, warum er das hier eigentlich alles macht. Dann fingen zehntausend Menschen in der Köln-Arena an heftigst zu klatschen ... Der Schelm mit der Lockenpracht auf dem Schädel grinste breit und sagte schlicht und einfach: »Ah! Jetzt weiß ich es wieder.«

Das hat mich so traurig gemacht, weil mir natürlich in diesem Augenblick schlagartig wieder klarwurde, dass dieser Teil meines alten Lebens unwiderruflich vorbei ist. Das tut dann wieder so weh, und die Flut wehmütiger Erinnerungen rauscht so unnachgiebig brutal und mühelos über die unter Entbehrungen aufgebauten Deiche und Befestigungen des neuen Lebens hinweg, dass man sich verzweifelt fragt, wie oft man denn noch untergehen muss. Und wieder alle Schäden des Hochwassers beseitigen darf. Auch wenn man sich nicht gerade dafür in bester Verfassung befindet. Selbst ein paar Wochen später, als Jonas und Till mich besucht haben, war ich noch nicht über den Berg. Als Jonas mich fragte, wie es mir denn gefallen hätte, antwortete ich nur: »Gut.« Aber Till mit seinen feinen Antennen hatte wieder den Braten hinter meiner knappen Antwort gerochen und setzte nach: »Man vermisst schon den Applaus, oder? Wir sind ja schließlich mit Leib und Seele Künstler!« Ich versuchte relativ unbeholfen auszuweichen: »Ich weiß nicht.« Aber Till schaute mir nur lieb in die Augen und sagte tröstend: »Doch, Schatzi, du weißt es. Deswegen weinst du ja.«

Ja, die Bühne fehlt mir. Natürlich weiß ich auch, dass hier nicht das Ende meiner Karriere ist. Aber es ist nun mal so, wie ich es gesagt habe: So wie es früher war, kann es nie wieder werden. Aber vielleicht werde ich ja auch so mein fürchterliches Lampenfieber loswerden. Sie werden es nicht glauben, und vielleicht habe ich es ja auch schon mal erwähnt, aber ich habe vor jedem Auftritt immer ein wahnsinniges Lampenfieber gehabt. Jetzt werden einige denken: Ja, sicha, die Köster und Lampenfieber! Die größte Klappe von hier bis Santa Fé, aber Lampenfieber! Die Verbalmuräne aus Köln! Madame 100 000 Volt! Hör doch auf!

Ist aber so, Leute. Ich sterbe vor einem Auftritt tausend kleine Tode. War schon immer so. Ich weiß noch, wie es vor meinem ersten Soloprogramm war. Da habe ich mich von allen Freunden und Verwandten verabschiedet, weil ich wirklich dachte, ich komme nicht wieder. Das überleb’ ich nicht. Heute weiß ich natürlich, dass ich schon ganz andere Sachen überlebt habe, aber wenn ich früher in einer Garderobe gestanden habe und die Uhrzeiger rückten unerbittlich auf zwanzig Uhr vor, dachte ich jedes Mal: Was tust du dir an? Du könntest jetzt schön entspannt wie ein Sack Götterspeise auf dem Sofa liegen. Stattdessen bist du hier und stirbst vor Angst! Aber wenn ich erst mal auf der Bühne stand und loslegte, war alles wie weggefegt, und hinterher war ich immer glücklich und zufrieden. Und in Köln aufzutreten war natürlich immer am schlimmsten wegen all der Freunde, der Bekannten und der Familie … aber umziehen nach jedem Auftritt wäre ja auch keine Lösung gewesen.

Von fehlenden Armen im Alltag

Natürlich läuft jeden Tag auch der Reha-Alltag weiter, manchmal mit scheinbar kleinen, aber doch auch großen Fortschritten. Manchmal auch mit den üblichen Enttäuschungen über zu große Erwartungshaltungen. Vor einiger Zeit murmelte sich eine Therapeutin während der Behandlung meines linken Armes in ihren gut rasierten Bart: »Na, ob das noch mal was gibt, mit dem Arm hier?« Um mich dann wenig später zu fragen: »Was fehlt Ihnen denn am meisten?« Da konnte ich es mir natürlich nicht verkneifen, ihr ganz trocken reinzudrücken: »Der Arm fehlt mir!« Daraufhin bekam ich von ihr die wertvolle Mitteilung, dass ich vielleicht aber auch etwas anspruchsvoll wäre, denn andere Leute wären auch mit *einem* Arm zufrieden. Ich sagte: »Bilden Sie sich bloß nicht ein, dass ich deswegen anfange mit den Füßen zu häkeln.« Die Handarbeit fehlt mir schon sehr, weil ich halt immer meine eigenen Klamotten kreiert habe. Ich habe sogar schon mal überlegt, ob ich mir den lahmen Arm abnehmen und mir so eine Hightech-Roboterprothese dranmachen lassen soll. Aber das funktioniert natürlich auch nicht. Beschäftigt hat mich dieser Gedanke aber schon, und er taucht auch immer wieder auf. Genauso oft träume ich allerdings auch, dass ich meinen linken Arm wieder bewegen kann und bin dann sehr enttäuscht, wenn ich wach werde und feststelle, dass sich noch nichts geändert hat. Das Wichtige ist eben, dass man sich für die kleinen Erfolge motiviert, obwohl einem der Teufel auf der Schulter höhnisch zuruft: »Du kannst deine Hose alleine auf- und zumachen? Ist ja toll, das kann die kleine Zita auch schon mit ihren vier Jahren! Is ja irre!« Diesen inneren Schweinesauhundsack muss man ignorieren, so gut es geht. In meiner Situation ist ein selbständiger Gang zur Toilette eben eine tolle Leistung und sollte Ansporn genug sein, weitere Dinge ohne Fremdhilfe zu erledigen, so simpel sie auch einem gesunden Menschen erscheinen mögen. Einfach mal den Armstrong ummogeln: »Ein kleiner Schritt für die Menschheit, aber ein gewaltiger für mich!«

In den Osterferien 2010 waren wir wieder auf Ibiza, das war sehr schön, weil meine Mutter auch mit war. Als wir in den Herbstferien 2009 hingefahren waren, sagte sie noch: »Wer weiß, ob ich da noch mal hinkomme.« Das hat mich sehr traurig gemacht. Meine Mum ist ein zähes Mädchen und gibt so schnell nicht auf, darum war ich umso bestürzter über ihre Gedanken.

Aber sie surft auch konsequent an ihrem körperlichen und geistigen Limit. Sie pflegt mich, die Hunde, kümmert sich um Haus und Garten, und das alles mit einer Energie, die vermuten lässt, dass sie nachts neben einem Kernkraftwerk schläft, an dem sie wieder aufgetankt wird. Und mit »geistigem Limit« meine ich natürlich die Tatsache, dass sie meine Situation mit all den daraus resultierenden Konsequenzen ungeheuer mitnimmt und ich manchmal das Gefühl habe, sie durchlebt ebenfalls alle Gemütsfacetten meiner Krankengeschichte von A bis Z.

Hinzu kommt noch der Herr Sohn, der zwar unbestritten ein feiner Kerl ist, aber trotzdem auch ein Teenager in der Pubertät. Und was das heißt, kann man sich gerade bei Jungs gut vorstellen, oder? Das Testosteron wird auf vollen Touren produziert, obwohl so gut wie keine Abnehmer vorhanden sind. Will sagen Angebot und Nachfrage durch hübsche Abnehmerwesen stehen sich gerade in dieser Zeit oft noch in einem extremen Missverhältnis gegenüber. Die ersten Damen werden hier ins Haus gebracht, aber ob und was läuft – nun ja, das würde ich zwar gerne wissen, aber nichts Genaues weiß man letztlich, solange Monsieur schweigt.

Natürlich kacheln wir drei auch oft aneinander, aber auch das kennt wohl jeder, der Kinder in diesem Alter hat.

Jedenfalls hat es die Mum wirklich nicht leicht mit uns, und dank unserer Freunde Ricky und Pia konnten wir eben Ostern wieder alle zusammen auf die Insel fahren, denn die beiden haben in dieser Zeit unser Haus und die Hunde gehütet. Die Mum hat sich so sehr gefreut, das war Pudding für die Augen! Das war so schön zu sehen, wie sehr sie die Sonnenstrahlen, das Meer und den Tapetenwechsel genossen hat. Das hat mich selber so ein bisschen von meinem aufkommenden Blues befreit, denn ich selber bin manchmal sehr traurig, wenn ich auf Ibiza bin. Weil mir dann besonders auffällt, was ich nicht mehr kann, weil mein linker Arm und mein linkes Bein noch sehr viel pausieren. Aber die Freude der Mum hat mich richtig mitgezogen und motiviert. Wir waren dann auch viel ohne Rolli unterwegs und hatten Spaß wie ein Schnitzel.

Meine Tagesabläufe auf der Insel gestalten sich natürlich sehr unterschiedlich von denen zu Hause, da ja die ganzen Therapiestunden wegfallen. Aber das ist schon okay, schließlich ist es ja auch mein Urlaub.

Zu Hause laufen die Tage meistens so ab, als Beispiel nehmen wir mal Prince und den Bangles zuliebe einen »Manic Monday«! Oder halten wir uns doch an Bob Geldorf und die Boomtown Rats mit »I dont't like Mondays«. Montag ist einfach nicht der beliebteste Tag, daran wird sich wohl nichts mehr ändern – es sei denn, irgendein beliebter Popstar schreibt endlich mal eine positive Montagshymne. Aber egal: Ich bemühe mich also zwischen acht und neun Uhr aufzustehen – die Betonung liegt auf bemühe –, denn wenn ich mal wieder nachts nicht schlafen konnte, bleibe ich auch schon mal eine halbe Stunde länger liegen. Aber um neun Uhr ist definitiv aufstehen angesagt. Seit dem drissdrecksdrisseligen Schlaganfall bin ich sehr wetterfühlig geworden, und manchmal bin ich einfach nur sackmüde. Diese Tage nerven mich besonders ab, denn gegen diese Müdigkeit hilft nur sehr wenig, weil ich mir ja den Wetterschlunz nicht aus den Knochen dengeln kann, indem ich aus dem Rollstuhl springe und mal eben wie früher mit den Hunden die Trabrennbahn um die Ecke durchpflüge.

Also, wenn ich dann aufgestanden bin, gibt es erst mal eine gepflegte Injektion Kaffee, die alltägliche Körperpflege mit großer Waschlappenrundfahrt, und ab da heißt es dann richtig: »Hallo, Tag!« Frühstücken war und ist bei mir nicht groß angesagt, stattdessen bin ich eher der Zwischendurch-Häppchenmampfer und Kaffeekipper!

Am Montag ist der erste Termin um elf Uhr beim Heilpraktiker, eine Stunde von Köln entfernt. Da steht dann Akupunktur und Akupressur auf dem Speiseplan, dazu werden Vitamincocktails gereicht. Bis ich wieder zu Hause bin, ist es meistens locker vierzehn Uhr geworden, und ich muss mich erst mal eine Stunde ausruhen, Siesta halten. Dann geht es weiter mit Büroarbeit und Familienalltag. Hunde versorgen, spielen, dem Lagebericht meines Sohnes von der Schulfront lauschen. Mit der Mum kläre ich dann die notwendigen Einkaufs- und Haushaltspläne, und ehe ich mich versehe, ist es schon wieder achtzehn Uhr und die nächste Therapiestunde steht an! Laufen, Motorik und Muskelaufbau! Damit ist dann um neunzehn Uhr Feierabend, und obwohl ich dann meistens platt wie ein Schnitzel bin, versuche ich noch ein bisschen zu schreiben und meine persönlichen Dinge zu organisieren. So geht das meistens die ganze Woche durch, und ich bin heilfroh, dass ich dabei die volle Unterstützung meiner Agentur habe!

In einer normalen Woche habe ich also vier- bis fünfmal Therapie, und manchmal verfluche ich das wirklich in nicht druckbarer Schriftform. Die Therapiestunde, der Weg dahin, das An- und Ausziehen, das Rein und Raus aus dem Auto und hast du nicht gesehen, nimmt so viel Zeit in Anspruch, dass kaum noch Zeit geschweige denn Muße für die vielen anderen Sachen übrigbleibt. Aber – ohne regelmäßige und konsequente Therapie geht es eben auch nicht. Und wenn ich dann die Fortschritte sehe und was ich alles dank des unermüdlichen Einsatzes meiner lieben Therapeuten erreicht habe, dann kann ich mich freuen wie jeck und storniere den mentalen Beschwerdebrief sofort wieder.

An dieser Stelle möchte ich mich auch mal heftigst bei meiner Krankenkasse bedanken, die mich seit über zweieinhalb Jahren sehr unterstützt und mir die Therapien und andere Hilfsmittel ermöglicht, dafür bin ich sehr dankbar. Großer Dank an die HUK und ihre Mitarbeiter!!!!!

Ich finde es nach wie vor ungewöhnlich, dass ich mich nachmittags ab und zu hinlegen muss, wenn ich so richtig platt bin. Weil ich früher ja immer durchgerattert bin! Aber wenn ich jetzt viel gemacht oder erlebt habe, ermüdet mich das eben auch schneller als früher, ich fühle mich dann so, als wenn mein Hirn dicht wäre und ich nix mehr aufnehmen könnte.

Ein richtiges Highlight war meine erste Fahrstunde. Jawoll, liebe Freunde, des gepflegten Waffelbruchs! Sie haben richtig gelesen. Wenn Sie richtig gehört haben, dann haben Sie es sich wahrscheinlich selber laut vorgelesen, was durchaus Sinn machen kann. Ab und zu verankert lautes Lesen das Gelesene besser im Hirn.

Meine erste Fahrstunde war der Hammer. Ich möchte unbedingt mobiler werden, das wäre nämlich eine große Verbesserung meiner Lebensqualität. Sie können sich ja gar nicht vorstellen, was es bedeutet, wenn man für jeden Pups fragen muss. Immer fremdbestimmt ist. Nicht selber entscheiden kann, ob man schnell noch mal kurz vor Ladenschluss unbedingt eine Tüte Lakritz holt, nur weil man Schmacht drauf hat! Wenn Sie nicht mit einer Antwort rechnen müssen wie: »Eine Tüte was? Sonst geht es aber noch, wa? Ich fahr doch nicht noch mal extra wegen so was los!« Sehen Sie? Wer mobil ist, muss nicht fragen und kann dementsprechend den Anteil der ihm nicht genehmen Antworten drastisch senken! Ich würde mich einfach besser fühlen, auch wenn ich natürlich weiß, dass meine Lieben mir auch gerne Wünsche erfüllen. Also habe ich mir einen Fahrlehrer gesucht, der bereit war, mit mir eine Testfahrt zu machen. Denn nicht nur das Auto musste speziell vorbereitet und präpariert sein, auch ich musste dringend ob meiner vielleicht nicht mehr vorhandenen Fahrfähigkeit durchgecheckt werden. Wichtige Parameter wie Konzentration, eventuell durch die lahme linke Seite eingeschränktes Gesichtsfeld, Motorik- und Koordinierungsschwächen – alles sollte von einem Fahrlehrer auf Herz und Pansen geprüft werden, bevor ich mich überhaupt zu weiteren Fahrstunden hätte anmelden können. Dass die heutige Technik schon so weit ist, dass Menschen mit Behinderung auch Autos fahren können, ist ja mal durchaus sehr positiv!

Als dann endlich der Volvo Kombi samt dem sehr netten Fahrlehrer vor der Tür stand, fühlte ich mich wie ein Lottogewinner. Ich war so nervös wie ein Pinguin in der Haifischbar und konnte kaum geduldig zuhören, als der gute Mann mir die Umbauten des Fahrzeugs erklärte. Das Lenkrad hatte zwar keinen Treckerknauf – aber mit der guten, alten »Tellerwaschbewegung« würde ich das ganz locker schaukeln. Meinte mein Fahrlehrer jedenfalls. Und sollte – Gott sei's getrommelt und gepfiffen – Recht behalten.

Locker wie Walter und rassig wie Röhrl schiggerte ich mit dem schwedischen Knäckekombi kopfüber in den Verkehr. Wir fuhren durch die Stadt und über Landstraßen, und ich fühlte mich so pudelwohl wie der Marlboro-Mann, bevor diese elende Pferdeallergie ihm das Rauchen vermiest hatte. Mein Fahrlehrer war jedenfalls auch sehr angetan. Hat er jedenfalls stock und steif behauptet!

Kinners, dieses Gefühl von Freiheit beim Autofahren hatte ich zuletzt mit achtzehn Jahren so intensiv gespürt. Ich wäre am liebsten abgehauen, durchgebrannt. Nach Amsterdam oder wie früher zum Frühstücken nach Paris.

Einen Milchkaffee und ein Croissant auf der Champs-Elysées und dann Straßentheater spielen, um die Kohle für das Benzin für die Rückfahrt zu verdienen. Selbstbestimmt zu sein und alleine zu entscheiden, wohin man will – einfach großartig, wenn Sie mich fragen. Vor allem, wenn man das im Alltag sonst so nicht erleben kann durch die körperlichen Limitierungen. Ein Hauch von Easy Rider hatte mich derartig euphorisiert, dass ich auf jeden Fall Himmel und Hölle in Bewegung setzen werde, um meinen Führerschein wieder zu bekommen. Großes Ziel, große Motivation. Genau richtig, um der Therapie wieder neuen Schwung zu verpassen! Und wieder einmal ein Beispiel, wie selbstverständlich ich vorher diese Freiheiten genossen habe, ohne auch jemals einen Gedanken daran verschwendet zu haben, wie bescheiden das Leben ohne selbstbestimmte Mobilität sein kann. Aber es ist mir immens wichtig, ein einigermaßen normales Leben mit sozialen Kontakten wieder aufzunehmen; ich will nicht darauf warten, dass der Berg zum Propheten kommt. Ich möchte selber hinfahren. Oder gehen. Am besten beides.

Ich habe noch viel vor. Ich habe beim lieben Gott angeklopft. Er hat mich zurückgeschickt. Er wird schon wissen, warum. Und ich werde es schon noch herausfinden. Ich bin auf einem guten Weg. Ich weiß zwar nicht, wohin er führt, aber das macht mir nichts. Ich werde keinen Stillstand akzeptieren. Weiter geht die Fahrt, denn im Herzen haben wir Gründe, die der Verstand nicht kennt. Es gibt keine Grenzen. Wer in den Himmel schaut, sieht keine Grenzen mehr.

Milchkaffee und die Zigarette danach

So, hier am Schluss unserer Reise muss ich doch noch mal etwas loswerden! So bin ich nun mal! Ich finde immer kein Ende, das war früher auch schon so, und wenn so ein Buch erst mal geschrieben ist, überlege ich die ganze Zeit: Menschenskind, hoffentlich hab' ich nix vergessen, und schwups fallen mir noch mehr Sachen ein!

Also: Ich habe mir angewöhnt, jeden Morgen eine Karte für den Tag zu ziehen. Da ich Kartendecks nun schon seit einigen Jahren sammle, habe ich dahingehend genug Auswahl! Das ist wunderschön, ich habe täglich eine Tagesbotschaft!

Das kann mal eine Engelskartenbotschaft oder ein Krafttier oder sonst was sein, was mir gerade in die Finger kommt, auch Runen sind am Start!

Es gibt natürlich auch Tage, da will morgens erst mal nix klappen, auch dafür habe ich eine Strategie entwickelt – das habe ich auch schon immer in meiner Liveshow erzählt! Dann lege ich mich nämlich einfach noch mal aufs Bett und fange von vorne an: Hinlegen, aufstehen, Karteziehen noch mal neu für den Tag! Außerdem chante ich seit Jahren das Lotussutra Nam myoho Renge kyo, für mich eine Art Meditation, die mir sehr gut tut! Dieses Sutra wird mehrmals hintereinander gesungen!

Liebe Betroffene, Kranke und Anverwandte,

auch in meinem Leben hat sich sehr viel verändert, und das mit den Freunden ist so 'ne Sache geworden! Solange ich noch in Lebensgefahr war, waren etliche sehr um mich bemüht. Das war ja auch interessant zu sehen: »Schafft sie es oder nicht?« Hinterher hat sich das im wahrsten Sinne des Wortes schlagartig gelegt. Ich bin halt nicht mehr die strahlende Promifrau, und die Aktivitäten in meinem Leben sind sehr begrenzt, die Fortschritte sind manchmal sehr klein, aber doch vorhanden, aber oft eben wenig spektakulär!

Ich weiß, dass ich damit nicht alleine bin. Ich habe mich mit etlichen Betroffenen unterhalten, denen es auch so ergangen ist, dass langjährige Weggefährten plötzlich weg waren! Ich möchte euch nur sagen, dass es mir auch so geht – ihr seid also nicht alleine. Aber das Wunderschöne ist hierbei auch: Es macht Platz für Neues!

Nix passiert einfach so, alles hat einen tieferen Sinn, liebe Sonnenanbeter und Schwarzmaler! Auch ich habe zwangsläufig in meinem Leben aufgeräumt! Und der Fachmann staunt, der Laie wundert sich, aber ich konnte unglaublich tolle, neue Freunde finden und lieben! Der Mensch entwickelt sich weiter, und das ist auch gut so! So, jetzt hab' ich's aber. Mir war es nur sehr wichtig, das noch zu sagen!

Danke, euch allen, und Kopf hoch im wundervollen Leben, Freunde des Grübelns und der Trübsal! Freut euch täglich über das, was ihr wieder lernen durftet! Macht, worauf ihr Bock habt, wenn es keinem anderen Wesen schadet!

Und an alle fitten Menschen: Freut auch ihr euch des Lebens, solange ihr noch fit seid! Ich wollte immer so gerne nach Indien, habe ich doofe Kuh aber nicht gemacht! Genauso wenig habe ich mich bewusst darüber gefreut, dass ich gesund war und machen konnte, was und wann ich wollte, aber Indien kommt ja vielleicht noch oder mit Delphinen schwimmen, auch ein lang gehegter Traum von mir oder, oder, oder …

So, Schluss jetzt!

Liebe, Frieden und viele Grüße,

Gaby Köster

Tills Geschichte

Ich heiße Till Hoheneder und habe mit Gaby dieses Buch geschrieben. »Jau«, sagt da der geneigte Leser und murmelt, »steht ja auch auf'm Umschlag. Aber wer is der Typ eigentlich?« Oder manche sagen vielleicht auch: »Wie, was? Das ist doch der legendäre Till Hoheneder! Den kenn ich doch! Warum schreibt der denn mit Gaby Köster ein Buch?« Die letzte Frage kann ich schnell und einfach beantworten: Weil Gaby es so wollte und mich gefragt hat! Und ich natürlich sofort Ja gesagt habe. Wer will, kann hier jetzt aufhören, weiterzulesen. Wer wissen will, wieso Gaby und ich das Buch geschrieben haben, wie wir uns kennengelernt haben, was ich mit Gaby vor und nach dem Schlaganfall erlebt habe, der sollte unbedingt weiterlesen.

Ich wurde geboren am 1. 12. 1965, habe vier Kinder – Lisa, Jasper, Zita und Jakob – und bin sehr glücklich verheiratet mit meiner Frau Claudia. Ich verdiene meine Brötchen unter anderem als Autor für Atze Schröder, Mike Krüger, David Werker und Gaby Köster. Ab und zu trete ich auch noch mal selber auf – live und im TV – oder ich mache Musik mit meiner Band, den Altobellis. Der eine oder andere Leser kennt mich vielleicht noch von meinem ersten und sehr erfolgreichen Karriereabschnitt mit der Gruppe

Till & Obel. Mit Andreas »Obel« Obering habe ich von 1986 bis 2000 sehr große Erfolge gefeiert, mit unserer großen Spezialität, der Musikparodie. Nach unserer Trennung im Jahr 2000 habe ich natürlich als Solokünstler weitergemacht, habe aber nicht den großen Zuschauerzuspruch von Till & Obel erreicht und fiel – um es drastisch, aber leider wahrheitsgerecht zu formulieren – aus dem kuscheligen Starhimmel herunter, voll auf die Fresse. Das war so schockierend für mich, dass ich erst mal ziemlich neben der Spur war. Zum einen, weil ich es nicht fassen konnte, warum das alles so gekommen war. Zum anderen wusste ich nicht, in welche Richtung es eigentlich beruflich beziehungsweise künstlerisch gehen sollte. Vier Personen haben mich in dieser Zeit buchstäblich wieder aufs richtige Pferd gesetzt: Jonas Wagner, mein Soulbrother, mein Manager und Tourbegleiter. Töne Stallmeyer, sein Bruder, mein Blutsbruder und Chef meiner Agentur (Management Töne Stallmeyer). Meine Frau Claudia – und natürlich: Gabriele Köster. Die Königin der Komödianten. Wie es dazu kam? Das ist einfach erzählt.

Jonas und ich fuhren 2003 mit Jonas' klapprigem Audi 80 von Auftritt zu Auftritt. Ich spielte vor 10 bis 300 Leuten und brachte mich und meine Familie mit ein paar gut bezahlten »Gala-Jobs« über die Runden. Vor dem mentalen Burn-Out rettete mich Jonas, der mir nach jedem Gig einen handgeschriebenen Zettel gab, auf dem er die besten Gags des Abends und ein paar Verbesserungsvorschläge notiert hatte. Und wenn wir nach Hause fuhren, schaffte er es immer wieder, mir Mut zu machen. Mir irgendwelche kommenden, eventuellen Fernsehauftritte als Durchbruch zu verkaufen und mir auszumalen, dass wir schon bald wieder berühmt und reich werden würden. Mein Gott Jonas, wie hast du das gemacht? Du bist einer der gutherzigsten Menschen, die ich kenne. Ein toller Musiker, ein heller Kopf, ein lieber Mensch und ein Fels in jeder Brandung! Und eines muss man ihm auch lassen: Die Fernsehauftritte kamen auch, sie waren auch gut – aber irgendwie kamen wir doch nicht so richtig aus den Puschen. Töne und Jonas haben weiterhin alles versucht, aber irgendwo war immer eine Tür erst mal zu.

Mittlerweile war Gaby Köster auch zu MTS gewechselt. Sie hatte Töne, seinen ersten Künstler und Freund Atze Schröder bei »7 Tage, 7 Köpfe« kennengelernt und war begeistert von Tönes Geschäftsgebaren und seinem Humor. Was verständlich ist, denn Töne ist wirklich ein Unikum: Der Mann ist nicht nur ein begnadeter Manager, sondern auch ein phantastischer Autor und ein toller, lustiger Typ.

Gaby wollte nun nach all den Jahren »im Fernsehen« wieder auf Tournee gehen und ein neues Soloprogramm spielen. Für dieses gewagte Unternehmen schien ihr Töne der richtige Mann zu sein. Sie hatte auch schon ein paar gute Texte für ihr Programm, aber Töne war der Ansicht, dass da noch ein bisschen lustiger Wahnsinn fehlte. Also rief er mich an und fragte mich, ob ich nicht Lust hätte, für Gaby Köster ein paar Nummern zu schreiben. Ich kannte Gaby auch nur von »7 Tage«, und eigentlich hatte ich keine richtige Meinung von ihr. Sie war mir bis dahin einfach nicht so aufgefallen, da ich »Ritas Welt« oder »7 Tage« einfach nicht geguckt habe. Aber – ich hatte noch jede

Menge Texte aus meinem ersten Soloprogramm, die wirklich ziemlich gut waren, und da ich diese Texte ja praktisch unter Ausschluss der Öffentlichkeit gespielt hatte, konnte ich sehr schnell drei komplette Nummern für sie überarbeiten und ihr bedenkenlos anbieten. Zu meiner grenzenlosen Überraschung fand Gaby die Geschichten auch sehr lustig und wollte sofort mehr. Sie ließ sogar über Töne anfragen, ob ich sie denn nicht mal mit Töne besuchen kommen wollte. Dann könnte man ja doch zu dritt auch noch an den anderen Texten arbeiten und sie ordentlich überpolieren. Warum nicht?, dachte ich angenehm überrascht und fuhr also eines schönen Tages mit Töne nach Köln, um die sehr populäre und beliebte Gaby Köster kennenzulernen.

Als wir endlich vor Gabys Haus standen, klingelten wir, und sofort ging hinter der Eingangstür die Hundekläffrandale los. Vielleicht haben wir aber auch gar nicht geklingelt und der Alarm ging schon vorher los, so genau weiß ich das jetzt auch nicht mehr.

Gaby höchstpersönlich machte uns auf und begrüßte mich gleich sehr herzlich.

Wir tranken erst mal schön gemütlich Kaffee, aßen Kuchen und arbeiteten dann sehr entspannt an ein paar Texten, und zu meiner großen Überraschung waren wir wirklich von Anfang an auf einer Wellenlänge. Wir lachten uns über denselben Mist kringelig und konnten uns auch ansatzlos über die gleichen Sachen aufregen. Und was mir besonders aufgefallen war, weil ich gerade zu dieser Zeit auch sehr unsicher war: Sie behandelte mich von Anfang an auf Augenhöhe. Sie kannte Till & Obel, und in ihren

Augen war ich einfach immer noch ein berühmter Künstler. Sie war ein »Star«, aber in ihren Augen war ich auch ein »Star«, und es war ihr keksegal, ob ich gerade erfolgreich war oder nicht!

Das war Balsam für meine empfindliche Künstlerseele, und ich habe sie allein dafür von diesem Tag an sehr verehrt und als Mensch geschätzt. In unserem Geschäft gibt es so wenig Menschen mit einem guten Herzen am richtigen Fleck, aber Gaby ist eine leuchtende Ausnahme. So oft hat sie mich liebevoll ermahnt, ich sollte mich nicht klein machen und mein Licht nicht unter den Scheffel stellen. Mit Erfolg.

So lernte ich also Gaby kennen. Schnell trafen wir uns immer öfters, und irgendwann sperrten wir uns für ein paar Tage mit Töne in einem Hotel in Ostwestfalen ein und probten für die Premiere ihres neuen Bühnenprogramms »Gaby Köster Live.« Das waren unvergessliche Tage. Was haben wir gelacht und Spaß gehabt. Gabys Lieblingspruch unter Lachtränen war immer: »Till, du musst mir versprechen, dass wir zusammen ins Altenheim gehen!« In diesen Tagen hat sich unsere Freundschaft zementiert, und sie hat mir den Spitznamen »der Graf« verpasst. Was ich jetzt nicht erkläre, weil es mir dann zu privat wird, okay?

Wir haben vor allem festgestellt, was uns so verbindet: Wir sind beide Schütze – ich habe am 1. Dezember Geburtstag und sie einen Tag später. Wir lieben Kaffee und die Rolling Stones! Wir sind beide, was unsere Persönlichkeit angeht, sehr extrem und haben eigentlich überhaupt keine Mitte. Was wir beide aber auch nicht unbedingt bedauern, vielleicht eher unsere übrigen Familienmitglieder.

Oder anders ausgedrückt: Wir sind entweder schwarz oder weiß. Nie grau. Wir sind entweder heiß oder kalt, aber nie warm. Wir brennen oder nicht, und wir lieben mit derselben Vehemenz, wie wir ablehnen. Wer verschissen hat, hat verschissen. Wir sind dickköpfig und chaotisch. Hypersensibel und manchmal (bei schlechter Laune) voller Boshaftigkeit und ätzender Kommentare. Es ist manchmal wirklich faszinierend, wie ähnlich wir uns sind. Es ist sicher nicht leicht für andere, mit uns umzugehen, weil wir natürlich besonders in unserer Ablehnung oft sehr festgefahren sind. Und wenn wir jemanden in unser Herz geschlossen haben, dann können wir auch sehr »überliebend« sein.

Unser Verhältnis zueinander ist sehr liebevoll und von großer Ehrlichkeit geprägt. Was ich an Gaby so wahnsinnig gut finde, sind ihr großes Herz und ihre Natürlichkeit. Sie bewegt sich in der Öffentlichkeit genauso wie auf einem Grillabend mit Freunden. Bist du nett zu ihr, ist sie nett zu dir. Will man Gaby allerdings verscheißern oder dumm anmachen, muss man damit rechnen, dass Frau Köster ordentlich zurückfönen kann. Laut, sehr heftig und gerne auch sofort! Aber ich kenne sie privat so nicht.

Sie hat sich immer einfach in ihren alten Kangoo gesetzt, Donald eingepackt und uns zu Hause besucht. Und wenn unsere Freundin Rici einfach rüberkam und sich zu uns an den Esstisch setzte, dann war das völlig natürlich und okay, alles frei nach dem Motto: »Wenn das eure beste Freundin ist, dann kann die Frau ja nur lieb und nett sein! – Also, setz' dich zu uns, ich bin Gaby!« Als die beiden sich neulich nach eineinhalb Jahren auf dem Geburtstag meiner Frau Claudia wiedergetroffen haben, fragte Rici ganz schüchtern: »Hallo, weißt du noch, wer ich bin?« Die Reaktion war Gaby pur.

»Schatzi, natürlich weiß ich das noch! Ich hab's ja nur hier« (sie haute sich auf ihr gefühlloses Bein) – »und nicht hier!« (Sie tippte sich mit dem Zeigefinger an ihre Schläfe!) Dann umarmte sie Rici.

Das ist Gaby, wie ich sie liebe – schlagfertig, witzig, menschlich und lieb. Was für eine Frau! Aber schön der Reihe nach.

Nach der Premiere des ersten Live-Programms haben wir uns zum Abschied heftigst umarmt, gedrückt und uns versichert, wie sehr wir uns lieb haben. Ein paar Wochen später besuchte ich einen Auftritt von Gaby in Soest (das ist ganz in der Nähe meiner Heimatstadt Hamm). Meine Frau Claudia war auch mit: Sie wollte Gaby auch kennenlernen und umgekehrt natürlich auch.

In der Pause saßen wir in der Garderobe, und plötzlich schaute Gaby Töne an und nickte ihm zu. Daraufhin verschwand Töne und kam bald darauf wieder und rollte etwas zur Tür herein: Es war ein schwarzer alter Vox AC-30, ein Gitarrenverstärker, den ich mir schon immer gewünscht hatte, seit ich mit 16 Jahren zum ersten Mal im Keller eines Freundes einen gehört hatte.

Ich war fassungslos und fing an zu heulen, während sich die zwei vor Freude angesichts ihrer Überraschung und meiner Heulerei noch doller freuten. Diese Gaby ... sie hatte sich bei einem unserer Gespräche gemerkt, dass dieser Verstärker ein großer Wunsch von mir gewesen war. Also hatte sie mit Töne und Jonas beschlossen, mir einen zu schenken. Da haben wir schon wieder zwei ihrer tollen

Eigenschaften: Sie hört gut zu und ist sehr großzügig. Jonas wusste sogar, dass ich gerade dabei war, einem Musiker aus Köln seinen Vox AC-30 aus den siebziger Jahren abzukaufen. Weil ich es ihm natürlich erzählt hatte. Daraufhin hatten sie den Typ angerufen, den Verstärker gekauft und ihm gesagt, er sollte mir ruhig »schön blöd« absagen. Mann, war ich sauer, als der Verkäufer am Telefon rumdruckste, von wegen »Nee, weiß nich … hab doch keinen Bock, verkaufe doch nicht!«. Als das Geschenk dann vor mir stand und die großzügigen Übeltäter ihr Komplott beichteten, wunderte ich mich natürlich nicht mehr! Ich habe mit diesem Vox seitdem immer wieder gespielt, und er klingt großartig. Nur mein Freund und Verstärker-Guru Ralf »Tonehunter« Reichen aus Köln darf diesen besonders wertvollen Schatz warten und pflegen. Und obwohl er diese Verstärker eigentlich nicht so toll findet wie ich – meinen »Gaby-Vox« findet er klasse. Ich auch!

Im Laufe der nächsten Jahre haben wir uns gegenseitig oft besucht, viel telefoniert und weiter zusammengearbeitet. Ein großes Highlight war der Besuch von Jonas, Töne und mir auf Ibiza. Gaby hatte uns in ihre uralte Finca eingeladen, damit wir in Ruhe ein paar Nummern für mein Soloprogramm schreiben konnten. Das waren unglaublich schöne und lustige Tage, die ich nie vergessen werde. Wir haben nur gelacht, gegessen und bis tief in die warmen Nächte über Gott und die Welt gesprochen. Magisch.

Gaby erinnert sich immer wieder gerne an den einen Abend, als ich unten am Tor in der tiefroten Abendsonne mit Claudia telefoniert habe. »Da sah der Till mit seinem nackten Oberkörper in der untergehenden Sonne aus wie ein alter Silberrücken (sie spielt damit auf meine leichte Körperbehaarung an)!« Doch das Wichtigste an diesem Telefonat war, dass Claudia mir damals im August 2004 mitgeteilt hat, dass sie wahrscheinlich schwanger sei! Das habe ich natürlich Gaby beim Abendessen zugeflüstert, und wir haben uns so sehr gefreut.

Als meine Tochter Zita dann im Mai 2005 zur Welt kam, riefen mich Gaby, Töne und Jonas genau in dem Augenblick an, als ich nachts völlig übermüdet, aufgewühlt und glücklich nach der Geburt nach Hause fuhr. Allerdings war ich auch sehr besorgt, weil es nach unendlich langer Qual für Claudia einen ziemlich schnellen Kaiserschnitt gegeben hatte und die kleine Zita dann auch erst mal zur Überwachung in einen Brutkasten musste. Also schlief meine arme Frau narkosetrunken und nicht ansprechbar in ihrem Krankenbett, und das Kind war auch nicht wirklich »greifbar« für mich. Und obwohl mir alle Ärzte versicherten, dass in ein paar Stunden alles problemlos vorbei wäre, ging ich doch sehr emotional, mit sehr gemixten Gefühlen nach Hause, als das Handy klingelte. Erst waren die Jungs dran, fröhlich und gut gelaunt. Dann bekam Gaby den Hörer in die Hand und fragte mich mit sehr sanfter und einfühlsamer Stimme, wie es mir gehen würde und was denn mit Claudi und dem Kind wäre. Und während ich also verwirrtes Zeug stammelte, hatte sie mit ihrer großen Einfühlsamkeit, ihren hochsensiblen Antennen und ihrem mütterlichen Instinkt sofort gemerkt, dass ich wirklich am Limit war und redete beruhigend auf mich ein. Sie sprach mich in ihre Arme und lockte mir die Angst- und Stresstränen aus der Seele. Nachdem ich mit ihr gesprochen hatte, war ich ruhig und gefestigt und schlief zu Hause befreit ein.

Dieses Gespräch am Telefon werde ich nie vergessen. Und wieder kann ich nur sagen: was für eine liebe, tolle Frau. Wenn ich damals geahnt hätte, dass ich ein weiteres Telefongespräch über Gaby und eines mit Gaby auch nie vergessen würde, dann hätte ich … Aber was hätte ich schon verhindern können? Und wie sagte schon meine Oma immer: »Hättste, wennste, wäre …!«

Das Jahr 2005 hatte für mich seinen Höhepunkt, als ich im Dezember meinen vierzigsten Geburtstag feierte. Wir mieteten einen kleinen Club mit einem wunderschönen Saal und ließen es krachen. Das Büfett war sensationell, ich spielte mit meiner Band und vielen Musikerfreunden und war überglücklich. Der einzige Wermutstropfen war für mich, dass Töne, Jonas, Gaby und Atze nicht kommen konnten, weil sie alle »auf Tour« waren oder »Promoauftritte« hatten. Nur Jonas und Töne wollten später noch vorbeikommen.

Sie kamen dann auch um 21.00 Uhr und hatten noch ein paar Überraschungsgäste im Gepäck … Frau Köster, Donald und Atze! Die Überraschung war natürlich perfekt gelungen, und ich wusste mal wieder, warum ich Gaby und meine Jungs so liebte! Deswegen war es für Claudi und mich auch klar, dass wir sie in den Weihnachtsferien auf Ibiza besuchen wollten. Was sowieso eigentlich kein großer Akt war, da Claudias Mutter in der Nähe der spanischen Hafenstadt Denia wohnt, was natürlich bedeutete, dass wir einfach mit der Schnellfähre rüberschippern konnten. Gesagt, getan.

Zita blieb bei Oma, und wir gingen an Bord und stiegen zweieinhalb Stunden später in Ibiza-Stadt an Land. Das war wie ICE fahren. Gaby ließ es sich natürlich nicht nehmen, uns selber um 22.30 Uhr abzuholen. In der Finca stand das Essen schon auf dem Tisch, und wir lachten und redeten bis tief in die Nacht. Herrlich.

Der nächste Tag begann mit Frühstück und Wandern am Meer bei Sonne und strahlend blauem Himmel. So hätte es endlos weitergehen können, aber leider mussten wir abends wieder nach Denia zurück, da Claudias Mutter sich schließlich auch noch um ihre Kinder kümmern musste. Also bestiegen wir bei recht stark aufkommendem Seegang eine mittelgroße Fähre, und das Desaster nahm seinen Lauf. Im Gegensatz zur rasant dahingleitenden Schnellbootfähre stampfte die große Fähre wie ein rumänischer Tanzbär durch die schäumenden Wogen. Statt zweieinhalb Stunden betrug die Fahrzeit mit der MS Achterbahn auch nur großzügig veranschlagte viereinhalb Stunden. Wir waren noch nicht fünf Minuten unterwegs, da waren Claudia und ich schon seekrank und schluckten hastig ein paar Reisetabletten, die ich glücklicherweise noch im Kulturbeutel gefunden hatte. Unser Pech war nur, dass uns trotzdem kotzübel wurde. Das Einzige, was die Tabletten wirklich gut verhindert haben, war das Kotzen. Machte aber nix, dass haben dann die anderen Passagiere übernommen. Viereinhalb Stunden auf einem Kahn, der wie verrückt schaukelte, auf dem es überall nach Erbrochenem stank und zu allem Überfluss noch saukalt war, weil die Heizung offensichtlich nicht funktionierte! Ich dachte, das würde nie mehr aufhören, und saß die Stunden leichenblaßgrün festgeklammert auf einem alten Holzkinostuhl und kämpfte permanent gegen meine aufstoßenden Magensäfte. Dazu hatte ich Schüttelfrost und Schweißausbrüche. Meine Frau war mir auch keine wirklich große Hilfe. Ihr war zwar anfänglich auch ein bisschen übel gewesen, aber das hatte sie mit einer Tablette – und LESEN !!!!!!!! – in den Griff bekommen.

Als wir in Denia endlich an Land taumelten – also eigentlich taumelte nur ich –, war mir klar, dass ich NIE wieder mit einer Fähre fahren würde. Und dass mich wieder ein Erlebnis mit Gaby Köster verband, das ich nicht vergessen würde! Auch diese Anekdote erzählen wir uns heute noch immer wieder gerne, wenn wir uns sehen!

Beruflich hieß es dann 2007 wieder: Never change a winning team, also schrieben Gaby, Töne und ich 2007 auch das neue Live-Programm »Wer Sahne will, muss Kühe schütteln« für Gaby. »Sahne« war wirklich noch mal ein großer Schritt nach vorne und wir haben es Gaby wirklich perfekt auf den Leib geschneidert. Meistens trafen wir uns in Münster und gingen erst ein bisschen spazieren. Dabei plauderten wir uns in Stimmung und danach schrieben wir einen großartigen Stand-up.

Ich habe mich immer gewundert über diesen Wahnsinnstyp Töne Stallmeyer. Ein guter Manager, ein großartiger Mensch und was für ein lustiger Autor!

Gaby und ich gaben wirklich immer alles, um mit seiner Schlagzahl mitzukommen. Aber das Ergebnis hat uns Recht gegeben: Das Programm war 150 Prozent Gaby, ein perfekter Spielplatz für das immens große Können der Frau Köster. Sie gurrte, grölte, lachte, schauspielerte, schlüpfte mühelos in verschiedene Rollen und legte mit ihrem Temperament jede Halle in Schutt und Asche!

Wir besuchten uns weiter in regelmäßigen Abständen, wobei sie auch oft zu uns kam, weil das für uns mit der kleinen Zita natürlich einfacher zu handhaben war. Kleine Kinder in einem Haushalt mit fünf Hunden zu bändigen, ist – zumindest in Zitas Fall – so gut wie unmöglich. Da scheitert jeder Versuch einer geregelten Unterhaltung!

Viele meiner Freunde haben mich oft gefragt, wie Gaby denn »privat« so wäre, was natürlich die Lieblingsfrage aller Freunde von Celebritys und Stars ist! »Privat ist Gaby ein toller Mensch«, pflege ich dann immer zu sagen. Denn, was ich viel interessanter finde, ist die Tatsache, dass Gaby zwar ihren Beruf liebt, aber ein wahnsinniges Lampenfieber hat und sich eine Stunde vor einem Auftritt fast als ultranervöses Wrack in ihrer Garderobe verschanzt. Das hat mich immer fasziniert, dass ein Mensch, der derartig »abgehen« kann und auf der Bühne vor Temperament kaum zu bremsen ist, sich so überwinden muss, um überhaupt auf die Bühne zu gehen.

Es war also nicht verwunderlich für mich, dass Gaby am 22. 12. 2007 zwar glücklich, aber extrem körperlich angeschlagen von den letzten Tourneeterminen mit Donald bei uns in Hamm aufschlug. Wir hatten im dicken Berufsstress noch keine Zeit gehabt, uns unsere Geburtstagsgeschenke zu geben, und wollten das praktisch in einem Abwasch mit unseren Weihnachtsgeschenken erledigen, da wir uns wegen ihres anstehenden Ibiza-Urlaubs erst im nächsten Jahr wiedersehen würden. Oder einen Tag später auf der Weihnachtsfeier unserer Agentur, aber das war uns auch zu nervig – Bescherung im dicksten Partyrummel.

Der Abend bei uns war wunderschön, wir haben lecker gegessen, uns schön beschenkt und natürlich wie immer viel geredet und laut und herzlich gelacht. Gaby hatte mir ein tolles Rolling-Stones-Shirt mitgebracht, und ich hatte ihr eins mit dem Aufdruck »Krawallschachtel« besorgt, was ihr natürlich auch bestens gefiel!

Als sie mit Donald spät in der Nacht nach Hause fuhr, habe ich noch mit Claudia darüber gesprochen, wie extrem Gaby schon wieder abgenommen hätte. In der kurzen Zeit, in der wir sie jetzt kannten, hatten wir von sehr schlank bis richtig mollig schon alles gesehen. Der Hobbyarzt in mir stellte kopfschüttelnd fest, dass das wohl kaum besonders gesund sein konnte, seinem Körper solche Extreme zuzumuten. In der Nacht wurde ich aber erst mal selber krank. Eine Kehlkopfentzündung bahnte sich an, und als Gaby und ich am 23.12. noch mal telefonierten, konnte ich kaum noch sprechen. Ich sagte ihr, dass ich nicht zur Weihnachtsfeier kommen würde und wünschte ihr ein frohes Fest, einen erholsamen Urlaub und einen guten Rutsch ins neue Jahr. Typisch Gaby: Sie machte sich jetzt erst mal einen Kopf um mich. Ich sollte ja zum Arzt gehen, ich bräuchte Urlaub undsoweiterundsofort! Das ist Gaby, wie ich sie kenne! Selber auf der letzten Rille, aber sich immer erst um Freunde kümmern! Sie schimpfte sehr mit mir, weil ich über Silvester alleine zu Hause bleiben wollte (Claudi und Zita flogen zur Oma nach Spanien). Ich sollte doch dann unbedingt zu ihr auf die Insel fliegen und mit ihr feiern! Aber ich wollte echt nicht, obwohl sie es mehrfach versuchte, mich zu überreden. Ich steh' halt überhaupt nicht auf Silvester und fand die Aussicht auf einen gemütlichen Abend allein zu Hause sehr verlockend und erholsam. Sie gab es auf, wünschte mir gute Besserung und schmatzte wie immer noch zehn Küsse durch das Telefon. Als ich dann natürlich am 4. 1. 2008 auf Ibiza angerufen habe, um Familie Köster ein frohes neues Jahr zu wünschen, wurde mir schnell klar, dass ich die richtige Entscheidung getroffen hatte, denn Gaby klang nicht gerade begeistert: Das Vordach hatte sich auf der hinteren Terrasse gelöst und selbige in einen mittleren Steinbruch verwandelt! Sie klang etwas müde, klagte über große Kopfschmerzen und ihre dämliche Allergie, die ihr so zusetzte. Kein Wunder, dachte ich noch – bei dem Stress, den es bedeutete, vernünftige Handwerker und Material in der kurzen Zeit des Restaufenthalts zu besorgen! Ich wünschte ihr natürlich trotzdem noch viel Erholung, und wir vereinbarten, dass wir uns bald sehen würden, wenn sie wieder in Köln gelandet wäre. Das war das letzte Mal, das wir vor dem Schlaganfall miteinander gesprochen hatten, und ich frage mich immer wieder, was wohl passiert wäre, wenn ich sie auf Ibiza besucht hätte. Wäre das dann ein anderer »Weg« geworden? Mit anderen Optionen? Wäre das Dach dann auch kaputt gewesen? Oder mir vielleicht auf den Kopf gefallen? Das sind Fragen, die man sich auch stellt, wenn man vor sich auf der Autobahn einen Unfall sieht und man entsetzt feststellt, dass man ihn Gott sei Dank um Sekunden verpasst hatte! Es sind die Momente, in denen wir uns fragen, wer oder was unser Schicksal eigentlich bestimmt. Ob es überhaupt Optionen gibt? Was wäre eigentlich passiert, wenn Gaby zu Hause geblieben wäre? Wäre sie dann eher zum Arzt gegangen? A »simpel twist of fate« (eine unerwartete Wendung des Schicksals), wie Bob Dylan es mal gesungen hat. Guter Mann, dieser Bob Dylan.

Der 8. Januar 2008 war ein ganz normaler Dienstag gewesen. Um 18.30 Uhr jedoch bekam ich einen Anruf von Jonas, der das ganz schnell ändern sollte. Jonas fragte mich leicht unruhig, ob es mir gutginge, und dass er mehrfach versucht hätte, mich zu erreichen. Und dass er sich Sorgen deswegen gemacht hätte. Ich erwiderte, dass es mir gutginge und er mich wohl einfach verpasst haben müsste. Und dass er sich deswegen nicht gleich Sorgen machen sollte. Was denn überhaupt los wäre. Dann brach es aus Jonas heraus und über mich herein: Gaby ging es nicht gut. Sie war im Krankenhaus und in Lebensgefahr. Sie hatte einen schweren Schlaganfall am Mittag gehabt. Wenn der Druck aus dem Schädel nicht wegginge, müssten sie ihren Kopf aufmachen. Es sähe nicht gut aus. Wahrscheinlich legten sie Gaby heute Nacht noch in ein künstliches Koma.

»ES SIEHT WIRKLICH NICHT GUT AUS, TILL!« Das sagte Jonas sehr eindringlich, und wenn mein lieber Jonas etwas eindringlich sagt, dann ist es eher fünf nach zwölf als fünf vor. Und deswegen traf mich dieser so schrecklich ernste, betonte Satz auch wie ein Schwinger von Muhammad Ali direkt in den Magen. Wir vereinbarten, dass wir telefonieren würden, sobald wir neue Informationen bekommen würden.

Ich legte auf, drehte mich um und sah in das verängstigte Gesicht meiner Frau, die mich mit großen Augen anschaute und leise fragte: »Was ist um Himmels willen passiert?« Während ich anfing, ihr das ganze Drama zu erzählen, fing ich hemmungslos an zu weinen. Claudia war geschockt und hatte auch Tränen in den Augen. Unsere kleine Zita war etwas irritiert und fragte, warum wir so traurig wären. Wir erklärten ihr natürlich, dass Gaby, die

Mama von »Döner-alt« (so nannte die kleine Maus immer Donald), sehr krank wäre und dass uns das sehr traurig machte! Aber ich glaube, sie hat es damals nicht so richtig verstanden, weil sie mit ihren drei Jahren einfach noch ein bisschen zu klein war, um zu realisieren, worum es ging. Nämlich um Leben und Tod. Aber ich dachte sofort: Und wenn leben, wie dann leben? Als sabberndes Wrack im Bett beziehungsweise ans Bett gefesselt?

Ich war fix und fertig. Das holte mich gleich an der richtigen Stelle ab. Ich habe eine Heidenangst vor solchen Erkrankungen wie einem Schlaganfall, und dementsprechend gehe ich sofort auf einen Horrortrip, wenn ich so was höre. Noch schlimmer war es natürlich, dass es auch noch meine liebste Gaby erwischt hatte. Wir hatten doch noch vor ein paar Tagen telefoniert, da war doch alles okay gewesen? Ich war völlig niedergeschlagen, wie betäubt, und ich fragte Claudia permanent: »Was geht hier eigentlich ab? Was ist denn jetzt mit Donald? Und der Mum?« Fragen über Fragen, auf die wir natürlich so schnell keine Antwort fanden. Also tat ich das, was ich jeden Dienstagabend mache, wenn ich nicht arbeiten muss: Ich packte mir meine Lieblingsgitarre unter den Arm und ging zur Altobellis' Band-Probe! Meine Frau Claudia hat das nicht weiter verwundert. Sie weiß ganz genau, wie wichtig mir das Musizieren mit meinen Jungs ist! Und dass ich die Musik gerade in diesem Zustand dringend als Ventil für das heillose Durcheinander in meinem Kopf brauchte.

Ich habe schon immer Musik als Transportmittel für meine Emotionen benutzt, schon seit meiner Kindheit. Wer mich gut kennt, der weiß ja sowieso, dass sich hinter meiner großen Klappe und den lustigen Sprüchen eigentlich ein sehr schüchterner und hochgradig sensibler Mensch verbirgt. Gaby weiß das und darum »lieben« wir uns ja auch so. Wir sind uns – ich habe es schon oft erwähnt – sehr ähnlich.

Ich fuhr also zu dem Proberaum und erzählte den Jungs, was passiert war. Sie waren alle sehr betroffen, denn sie hatten Gaby bei einigen Gelegenheiten kennengelernt und fanden sie auch sehr sympathisch. Es war dann ziemlich still. Bis ich meine Fender Telecaster in meinen Vox AC 30 stöpselte ..., den Verstärker, den ich von meiner Gaby geschenkt bekommen hatte. Ich drehte ihn auf und wir fingen an zu spielen. Ich weiß nicht, warum, aber ohne zu überlegen hatte ich mir als erstes Stück einen alten, wirklich harten Blues von Freddie King ausgesucht: »Going down! I'm goin' down, I'm goin' down, down, down, down, down ...« Ich habe all meine Wut, Verzweiflung und meine Hoffnung in die Musik gelegt. Ich habe an jenem verfluchten Dienstagabend so intensiv gespielt und gesungen wie selten zuvor in meinem Leben und habe sozusagen einen Gottesdienst der Emotionen zelebriert. Und während ich in das tosende und tröstende Klang- und Dezibelinferno dieses wahrhaft lauten Verstärkers eintauchte, liefen mir die Tränen über das Gesicht. Es war meine Art des Versuchs, meine Seelenschwester Gaby auf diesem Weg zu erreichen und vom Sterben abzuhalten. Gott weiß, ich habe es versucht. All meine Wut, Trauer und Verzweiflung haben über die Musik ein Ventil gefunden und mir geholfen, mit der Situation klarzukommen.

Am nächsten Tag bin ich morgens mit Zita in die Pauluskirche gegangen. Wir haben ein paar Kerzen für Gaby angezündet und das Vaterunser für sie gebetet. Von diesem

Tag an haben wir beim Abendgebet mit Zita vor dem Schlafengehen unsere Fürbitte für unsere liebe Freundin wiederholt: »Lieber Gott, bitte mach die Gaby wieder gesund!« Bis sie wirklich wieder »über dem Berg« war. Ich habe fast jeden Tag mit jemandem der Familie, Freunde oder dem Management telefoniert, bis ich Gaby eines Tages im April wieder selber am Telefon hatte und sie ein paar Worte mit mir sprechen konnte.

Das war schon ein glücklicher, bewegender, aber auch gleichzeitig ein irgendwie – bitte nicht falsch verstehen – bedrückender Moment. Weil mir natürlich auch bewusst war, dass alles von nun an kein Zuckerbrot für Gaby werden würde. Natürlich haben wir ihr Mut gemacht – Töne, Jonas und ich. Der übliche Sermon: »In einem Jahr stehst du wieder auf der Bühne undsoweiterundsofort …« Wir haben es gut gemeint und wollten unserer Freundin natürlich Mut machen! Ein Ziel und Rückhalt geben! Aber wie schnell man auch mit »Gutmeinen« über das Ziel hinausschießen kann, ist mir und Töne erst nach einem Krankenhausbesuch im Sommer 2008 bewusst geworden. Der Grund für unseren Besuch war folgender: Mit Entsetzen hatten wir mitbekommen, dass Gaby wieder angefangen hatte, zu rauchen und zwar schon im Krankenhaus. Das konnten wir nicht glauben, dass jemand, der einen Schlaganfall gehabt hatte, nach dem Entzug durch das Koma, et cetera wieder anfängt mit diesem schrecklichen Giftzeugs! Ich hatte ein Jahr vorher mit dem Rauchen aufgehört und war sowieso ein überzeugter Nichtraucher geworden. Also verspürte ich erst recht einen unglaublich selbstgerechten Missionarseifer. Töne stieg auch nur zu gerne auf diesen Zug auf, und so machten wir uns auf den Weg nach Merhein in das Krankenhaus, um Frau Köster mal richtig den Kopf zu waschen. Und fühlten uns als Stellvertreter aller, die über Gabys Qualmerei verzweifelt waren!

Kaum angekommen, wollte Madame auch gleich von uns nach unten in den Park gebracht werden, um Dr. Marlboro zu konsultieren. Also packten wir unsere hübsch zurechtgelegte Moralpredigt aus: »Wie kannst du das nur deiner Familie und uns antun?« – »Wir haben um dein Leben gebangt und was machst du?« – »Ist das der Dank für all die Sorgen?« – »Dein armes Kind! Schäm dich, das kannst du doch nicht machen!«

Gaby war betroffen und versprach uns hoch und heilig aufzuhören. Nach dieser »Letzten«, natürlich! Als wir nach Hause fuhren, waren wir uns nicht sicher, ob sie wirklich aufhören würde. Als ich dann endlich zu Hause war, rief Gaby mich an. Sie klang sehr traurig und aufgelöst, und fragte, ob ich denn wegen dem Rauchen nicht mehr ihr Freund wäre. Ich ruderte sofort zurück und sagte diesen Satz, der im Kern natürlich richtig ist: »Wir meinen es doch nur gut!« Gleichzeitig ist der Satz aber auch schrecklich, denn später wurde mir klar, wie anmaßend und unsensibel unser Verhalten gleichzeitig war! Wir haben sicher das Recht – und sogar die Pflicht –, unsere Freundin darauf hinzuweisen, dass das Rauchen nicht gerade eine tolle Idee ist in Bezug auf ihre Gesundheit – aber es steht uns nicht zu, ihr mit einer Art »Liebesentzug« zu drohen. Das haben wir ja auch nicht gemacht, als sie »gesund« geraucht hat wie ein Schlot. Und wenn sie jetzt rauchen wollte, dann war das auch in erster Linie ihr Bier. Punkt, aus, basta.

Im Laufe des Sommers 2008 besuchte Gaby uns wieder in Hamm. Im Rollstuhl zwar – aber ein paar Meter konnte sie auch schon alleine laufen! Es war sowieso unglaublich, wie fit sie an guten Tagen schon wieder war. Wie schlagfertig sie schon wieder sein konnte und wie schnell ihr Hirn sich von diesem Super-GAU erholt hatte. An schlechten Tagen, wenn sie nicht gut drauf war, dann konnte man allerdings auch ahnen, wie langwierig der Reha-Prozess noch sein würde. Dann fehlte ihr die Konzentration, sie war müde und gereizt und hatte eine Aufmerksamkeitsspanne von höchstens fünf Minuten.

Natürlich regten wir uns weiter darüber auf, dass sie wieder mit dem Rauchen angefangen hatte, aber das beeindruckte sie überhaupt nicht. Was uns allen aber auch irgendwie hätte klar sein müssen. Druck auszuüben ist bei Gaby so sinnvoll und hilfreich wie eine Flasche Spiritus zum Feuerlöschen!

Jedenfalls eröffnete sie mir bei einem lauen Grillabend auf unserer Terrasse, dass sie ein Tagebuch für ihre private Erinnerung schreiben wollte, und ob ich nicht Lust hätte, so ein Tagebuch mit ihr zusammen zu schreiben. Begeistert willigte ich ein, sah ich doch darin eine großartige Möglichkeit, meiner Freundin zu helfen. Einerseits dachte ich, es wäre auch eine gute Sache, um die seelischen Wunden des Schlaganfalls zu pflegen und andererseits auch ein guter Weg für Gaby, sich zu erinnern. Und da sie ja nicht schreiben konnte mit der lahmen Hand, wollte ich ihr unbedingt helfen. Schließlich hatte Gaby so viel für mich getan und – was auch noch sehr wichtig war – wir waren echte Seelenverwandte. Gute Voraussetzungen also, wenn man ein sehr persönliches und intimes Schicksal zu einem Tagebuch verarbeiten will.

Aber irgendwie fanden wir den Anfang nicht und so kam die gastfreundliche Frau Köster im Winter 2008 auf die großartige Idee, dass wir doch im Februar 2009 gemeinsam für ein paar Tage auf Ibiza verbringen sollten. Dort hätten wir doch die Ruhe und die Muße, um endlich mal ungestört loszulegen! Gesagt, gebucht.

Das Komische war nur: Ich konnte mich gar nicht so richtig über diese Idee freuen, und wenn ich ganz tief in der Nacht manchmal in mich hineingehört habe, dann fühlte ich sogar eine Art Angst vor dieser Reise. Ich bin ein extremer Instinktmensch, und mein Körper reagiert meistens sofort auf mein seelisches Unwohlsein. Und so wundert es mich im Nachhinein überhaupt nicht, dass ich versuchte, mich mit einer fetten Stirn- und Nebenhöhlenvereiterung von der Reise abzubringen. Was natürlich nur ein Versuch war, denn mir war schon klar, dass ich unmöglich absagen konnte.

Also saßen wir im Februar 2009 im Flieger, und mein Kopf war voller Eiter, was mir beim Landeanflug große Schmerzen wegen des Druckausgleichs bereitete. Also fuhren wir nach der verfluchten Landung gleich zu einem Arzt, den Gaby kannte und der mir erst mal ein dickes Antibiotikum verschrieb. Toller Start!

Dann fuhren wir zum Haus, wo – dem Himmel sei Dank – diesmal aber alles in Ordnung war. Abends gingen wir gemeinsam essen und verabredeten, dass wir am nächsten Morgen nach dem Frühstück mit der Arbeit beginnen wollten. Die Stimmung war gut, wir lachten viel und ich dachte noch: Du bist immer viel zu pessimistisch, Till. Ist doch alles in Butter! Gaby ist gut drauf, und es geht dir morgen bestimmt viel besser!

Am nächsten Morgen saß ich also mit meinem Laptop um halb zehn in der Küche und wartete mit dem Frühstück auf Gaby und ihren Freund. Plötzlich und ohne jegliche Vorwarnung hörte ich ihn aus dem hinteren Teil des Hauses brüllen. Ich habe es zuerst nicht verstanden, aber dann brüllte er noch mal und viel lauter: »TILL, HILFE! HILFE! Komm schnell! Ich glaube, Gaby hat einen Anfall! HILFE, TILL!!«

Ich reagierte auf zwei Ebenen. Mein Verstand brüllte mich sofort an: »Das wollen wir gar nicht sehen, Till! Los, wir hauen einfach ab. Nix wie weg!« Mein Körper hörte zwar auf meinen Verstand, aber er lief unverzüglich in Gabys Schlafzimmer. Dort sah ich etwas, was ich wohl nie vergessen werde: Gaby saß auf dem Bett, hatte den Kopf schräg nach oben verrenkt und war starr. Sie stöhnte laut und schien heftig zu krampfen, im »Inneren«. Ihr Freund hatte seine Finger in ihrem Mund und schrie vor Schmerzen auf, denn Gabys Kiefer drohte, seine Finger abzubeißen. Er hatte geistesgegenwärtig reagiert, damit sie sich nicht beim Krampfen die Zunge abbeißen konnte.

Der Krampf und ihr gepresstes Stöhnen wurden immer heftiger. Dabei verdrehte Gaby die Augen immer mehr; sie waren komplett ausdruckslos. Ich stand da völlig hilflos, und mir hämmerte nur ein Gedanke durch den Kopf: Jetzt stirbt sie vor deinen Augen und du kannst nichts tun außer zugucken. Sie stirbt, sie stirbt, sie stirbt.

Ich wollte weglaufen, aber ich konnte es nicht. Es kam mir vor wie eine Ewigkeit, aber es war vielleicht nur eine halbe Minute, dann reagierten wir. Wir setzten Gaby in ihren Rollstuhl, riefen einen guten Bekannten, der auf der Insel wohnt, an und informierten ihn! Der wiederum rief sofort in einem Krankenhaus an und machte sich auf den Weg zu Gabys Haus. Gemeinsam schafften wir Männer es – ich frag mich heute noch, wie –, Gabys Jeep auf die Terrasse zu brettern und die krampfende Gaby auf eine Matratze in den umgeklappten Kofferraum zu hieven. Das ging alles in circa zehn Minuten. Ich weiß noch, wie wir den ganzen Aufenthalt – vor und nach dem Anfall – nie mit dem Rollstuhl durch die Eingangstür gekommen waren, ohne irgendwie stecken zu bleiben. Außer natürlich in dieser extremen Notsituation. Sachen gibt es! Was ein Zufall. Oder nicht?!

Mancher wird sich jetzt bestimmt fragen, warum wir nicht einen Notarztwagen gerufen hatten. Ganz einfach. Bis der bei Gaby mitten in der Pampa gewesen wäre, das hätte viel zu lange gedauert. Da waren wir alleine wesentlich schneller, und wir hatten schon das Gefühl, dass es besser wäre, wenn wir schnell handeln und keine kostbare Zeit verschwenden würden!

Auf dem Weg in die Klinik in Ibiza-Stadt wurde Gaby langsam ansprechbar, und in uns keimte die Hoffnung, dass es nur ein kleiner Schlaganfall gewesen war. Ich sprach ein paar Worte mit ihr, und sie sagte mir leise, aber mit relativ klar zu verstehenden Worten, dass ihr kalt wäre. Das wirkte irgendwie beruhigend auf mich, wahrscheinlich weil es so normal klang. Es klang für mich jedenfalls besser als »Hilfe, ich habe Schmerzen« oder weiß der Teufel was!

Schließlich erreichten wir die Notaufnahme und übergaben Gaby den »Fachleuten«. Da standen wir nun also draußen in der ibizenkischen Wintersonne und ich dachte:

Das gibt es doch wohl nicht! Das ist alles nur ein dummer Traum! Und gleichzeitig ahnte ich, wovor ich eigentlich die ganzen Wochen vor der Reise Angst gehabt hatte: Dass mir das Schicksal meiner Freundin Gaby zu nahe kommen könnte. Dass es in mein Leben eindringen und mein seelisches Gleichgewicht außer Kraft setzen könnte. Auf dieser Mauer vor dem Krankenhaus wurde mir klar, dass ich aber genau davor nicht weglaufen konnte! Besser gesagt – nicht darf! Man darf nicht vor den Ängsten weglaufen. Man kann sie verdrängen, aber meine Erfahrung ist bisher immer gewesen: Sie kriegen dich am Ende doch, die dunklen Gedanken. Sie holen einen ein und dann holen sie dich ab.

Abends dann lag ich bis tief in die Nacht wach in meinem Bett und fragte mich: Wie wolltest du denn deiner kranken Freundin helfen, ein Tagebuch zu schreiben, wenn du eigentlich in deiner Angst um deine heile Welt gar nicht richtig kapiert hast, was die Krankheit für sie bedeutet? Was diese tapfere Frau jeden Tag durchmacht? Es ist ja so schön einfach, am Telefon mit Gaby zu plaudern! Oder sie mal auf einen Kaffee oder zum Abendessen zu besuchen. Man kann ja immer abhauen, wenn es ungemütlich wird. Aber wenn man weg ist – wer hilft ihr dann? Beim Aufstehen? Waschen? Zur Therapie fahren? Einkaufen? Essen kochen? Betten beziehen? Wer wissen will, wie es Gaby Köster so geht, kann ja mal seine linke Hand lahmlegen und versuchen, den Haushalt einer ganz normalen Familie zu schmeißen. Und wem das nicht reicht, der setzt sich noch in den Rollstuhl … Noch Fragen, Herr Staatsanwalt? Aber das kriegt ja keiner mit am Telefon oder »auf Besuch«. Habe ich ja auch schön ausgeschaltet, dieses Szenario. Bis ich auf Ibiza nicht mehr weglaufen konnte. Und mich ihr Schicksal noch mal mit aller Wucht erwischte.

Am nächsten Tag im Krankenhaus wurden alle möglichen Untersuchungen gemacht. Und die Vermutung, dass Gaby keinen zweiten Schlaganfall, sondern einen epileptischen Anfall erlitten hatte, bestätigte sich. Und so habe ich am Ende dieses Trips nach Ibiza dann doch noch begriffen, dass diese Reise mitsamt ihren schauerlichen Ereignissen das Beste war, was mir passieren konnte. Gerade in Bezug auf unser gemeinsames Projekt und unsere Freundschaft! Nie hätte ich eindrucksvoller und schneller begriffen, wie gut und schön es ist, wenn man gesund ist. Ich möchte nicht in Gabys Haut stecken, und ich weiß nicht, ob ich an ihrer Stelle schon so viel nach diesem schweren Schicksalsschlag erreicht hätte wie diese außergewöhnliche Frau! Gaby Köster verdient meinen tiefen Respekt und meine ganze freundschaftliche Liebe.

Seit dem epileptischen Anfall auf Ibiza im Februar 2009 ist wieder viel Zeit vergangen, in der Gaby Köster – wie sie es sagen würde – von Beruf »Schlaganfallpatientin« wurde. Tapfer kämpft sie seither um jeden Millimeter Befehlshoheit über ihre linke Körperhälfte. Stolz ruft sie an, wenn sie das erste Mal wieder von selbst einen Finger der lahmen linken Hand bewegt hatte. Und selbstverständlich – wie könnte es bei Gaby Köster anders sein – war es der ausgestreckte Mittelfinger … na klar!

Sie ist voller Tatendrang: Sie möchte Fahrstunden mit dem Auto machen, um selbst wieder mobiler zu werden und ihre Mutter zu entlasten. Sie mischt sich wieder unter Leute, besucht die Stadt, um ihrem Hauptlaster – »Unterhaltungselektronik shoppen« – zu frönen. Sie besucht Konzerte und Comedy-Veranstaltungen. Aus dem Tagebuch-Projekt ist irgendwann dieses Buch entstanden und ich bin sehr stolz, dass wir es zusammen geschrieben haben.

Claudia und ich hatten uns wahnsinnig gefreut, dass sie zu Claudias vierzigstem Geburtstag selbstverständlich in Hamm bei der großen Party im »Louis« dabei war und mit unseren Freunden wie immer begeistert gefeiert hatte! Sie besucht uns mittlerweile sogar ohne Rollstuhl und verwöhnt meine kleine Tochter Zita immer noch mit tollen Geschenken!

Sie beklagt sich so gut wie nie über ihr Leben. Es sei denn die Münchhausen der Yellow Press haben sich wieder Lügengeschichten über sie ausgedacht. Das macht ihr mehr zu schaffen als ihre körperlichen Beschwerden. Sie klagt auch höchstens mal, dass sie müde ist oder schlecht geschlafen hat. Aber das muss ich ihr schon richtig aus der Nase ziehen, denn sie ist ja immer viel mehr besorgt um mich und meine Mädels!

Typisch Gaby. Ein Löwenherz! Wer weiß, was die Frau Köster uns noch so alles bringen wird. Mir hat sie die wichtigsten Dinge im Leben immer vor Augen geführt. Liebe, Freundschaft, Loyalität, aufrichtige Anteilnahme und ein gutes Herz. Gibt es Wichtigeres im Leben? Hier endet vorläufig unsere Geschichte, aber eins kann ich Ihnen verraten: Ich bin schon sehr gespannt auf die unzähligen Erlebnisse, die hoffentlich noch vor uns liegen. Danke, Gaby. Für alles bis hierher. Ich liebe dich.

Dein Till

Gaby Köster sagt Danke:

Liebe Menschen,

jetzt komme ich zu einem Thema, das mir sehr wichtig ist: Vielen Menschen, denen ich danken möchte!

Zu allererst meiner Mutter, die mir zweimal das Leben geschenkt hat! Meine Mutter hat es mit siebzig Jahren geschafft, eine komplette Krankenpflegerin zu sein und gleichzeitig den kompletten Haushalt zu schmeißen! Inklusive schulpflichtigem, pubertierendem Enkel und fünf Hunden!

Unsere ersten Duschversuche im ersten Stock waren abenteuerlich, denn ich musste erst mal lernen, die Treppe zu bewältigen! Ich habe unsere morgendlichen Eskapaden direkt »unseren Almaufstieg« getauft!

Ich danke meiner Mum für ihre unendliche Geduld und ihren ungeheuren Fleiß. Obwohl sie selbst gesundheitlich schon außerhalb der Garantie ist, beschwert sie sich nie und sagt immer: »Wenn man liebt, geht alles!« Jawoll, das hat sie bewiesen! Mama, du bist die Beste, und ich danke dir so sehr, dass du mit mir zweimal laufen gelernt hast und für all deine Liebe und Mühe! Du hättest im Alter etwas anderes verdient, als deine kranke Tochter zu pflegen! Entschuldige bitte, aber du weißt: Ich hab es mir auch nicht ausgesucht! Ich bin aber sehr glücklich und unendlich dankbar, dass du in dieser heftigen Zeit an meiner Seite sein konntest!

Dann möchte ich natürlich noch meinem Sohn danken, der in der Pubertät gelernt hat, mich anzuziehen, statt junge Mädels auszuziehen! Sozusagen ein vorgezogener Zivildienst – wie praktisch! Meine Krankheit hat auch seine Geduld oft strapaziert, aber er hat sich immer bemüht, an meiner Seite zu sein und mich zu unterstützen. Danke, Donald für deine Hilfe! Liebster Schatz, du kannst mir glauben, ich wäre verdammt nochmal lieber eine fitte Mutter, aber ich bin unendlich stolz auf dich, dass du deinen Job in der Schule so gut gemacht hast, trotz all der Sorge, die ihr um mich hattet! Und auf die Bronze, Silber- und Goldtanzabzeichen, die du dir zu meiner grenzenlosen Bewunderung ertanzt hast, bin ich sehr, sehr stolz, und würde irgendwann mal sehr gerne mit dir tanzen!

Außerdem danke ich mit voller Inbrunst Pia Behrendt und Ricky Schiefer für ihre nun schon jahrelang andauernde Freundschaft und für die Ostervertretung im Haus mit meinen Hunden, so dass meine Mutter in den Osterferien mit nach Ibiza konnte. Sie sagte nämlich so oft »wer weiß, ob ich da noch mal hinkomme«, und das hatte mich immer sehr traurig gemacht. Das war ein sehr schöner Urlaub, den ihr mir und der Mum ermöglicht habt! Und im Herbst 2010 waren wir mit Pia und Ricky und der Familie Riem auch auf Ibiza!

Die Riems sind auch eine tolle Familie! Danke für die schönen Herbstferien auf Ibiza! Und dir, lieber Christoph

Riem, möchte ich auch ganz besonders für die neue, tolle Holzterrasse danken, die wunderschön ist!

Lieber Erwin Schiefer, dir vielen Dank fürs »immer helfen«, wenn's irgendwo brennt und irgendwas bei mir im Haus wieder mal kaputt ist. Oder wenn der alljährliche Weihnachtsbaum, die Nordmanntanne, beschafft werden muss! Danke, Erwin, für deine Hilfe und Freundschaft! Was wären wir ohne dich, lieber Erwin!

Noch ein besonderer Dank gilt Anita und Peter Krajewski, die sich stetig und gewissenhaft und ehrlich um mein Haus auf Ibiza kümmern und mir immer hilfreich zur Seite stehen, wenn etwas zu erledigen oder zu reparieren ist! Vielen Dank für eure Hilfe und Freundschaft, meine lieben zwei Ibiza-Engel!

Lieber Frank, danke für den schönen »Ibiza-Garten«, der immer perfekt in Schuss ist, so dass ich auch immer Zitronen für Deutschland ernten kann! Das war auch toll, trotz Regen durchs Dach!

Nicht zu vergessen danke ich an dieser Stelle auch meinen Freunden Gisela und Georg Rittersbacher für ihre jahrelange Freundschaft und dass sie mir immer Mut machen! Danke, dass ihr mich bis heute nicht aufgegeben habt!

Das sage ich auch aus voller Inbrunst und Liebe meinen Freunden und Managern Töne Stallmeyer und Jonas Wagner! Ihr habt immer zu mir gehalten und mich stets gut beraten! Und dem ganzen MTS-Büro danke ich natürlich auch für die Treue und Unterstützung! Ihr habt mich nicht vergessen und fallen gelassen, vielen Dank dafür! Ich liebe euch für eure Ehrlichkeit und Treue!

Ich danke meinem Cousin Gerd »Jächt« Köster, dass er in diesen miesen Zeiten auch für mich da war und für das Rollischieben im Krankenhauspark … und natürlich für die »heimlich« geschmökten Zigaretten im Park! Nicht zu vergessen: das wunderbare Silvesterfeiern an der Mosel auf Ulli Steins Weingut! Das war das tollste Silvesterfeierfest überhaupt! Danke, Renate für deine Hilfe auf der Pipibox!

Frank Günter Hocker danke ich auch sehr für die Herbstferien 2009, sein leckeres Essen, sein virtuoses Gitarrenspiel und viel Lachen über SMSe und Omid Djalili!

Ich danke meiner Freundin Micha Zukunft für viele Sachen, schöne Ausflüge, Hilfestellungen auf der Pipibox. Und das Vorablesen dieses Buches, um mal eine andere Meinung darüber zu hören! In diesem Zusammenhang danke ich auch Klaus Krützmann, der uns auch fachlich sehr gut beraten hat und uns zur Seite stand!

An dieser Stelle möchte ich noch meiner lieben Freundin und Seelenschwester Ariane und deren Mann Uwe danken für ihre wunderbare Arbeit, die mir sehr geholfen hat. Liebste Ariane, du bist die klügste und interessanteste Person, die ich in den letzten Jahren kennengelernt habe, und ihr könnt mir glauben, ich habe in den letzten Jahren viele Menschen kennengelernt. Danke für deine Energie und Arbeit, liebe Ariane! Ich behandle meinen noch nicht funktionierenden Arm fast täglich auch mit deinen Klangschalen, und das tut mir sehr gut! Ich danke für eure Besuche aus dem doch fernen Berlin und die wunderbaren Stunden mit euch und euren Fellnasen Paul und Coco! Und für eure Unterstützung in vielen Bereichen!

Am 08. Januar 2008 war Frau Dr. Christa Schöler schnell bei mir und erkannte sofort, dass ich nicht nur diese blöde Allergie hatte, sondern, dass da noch etwas anderes war! Sie handelte sehr schnell und veranlasste die weiteren Schritte zu meiner Rettung, liebe Frau Schöler, auch wenn die Presse später einen riesigen Unsinn schrieb, der für Sie sehr verletzend gewesen sein muss! Ich entschuldige mich dafür und danke Ihnen aus tiefstem Herzen für Ihre schnelle Reaktion und Ihre Mühe.

Ich danke dem Klinikum Merheim und Herrn Prof. Dr. Limmroth für die schnelle Aufnahme in das Klinikum, die schnell eingeleiteten, lebensrettenden Maßnahmen und alle weiteren richtigen Entscheidungen zur richtigen Zeit!

Außerdem gilt mein Dank allen Pflegern und Schwestern! An viele kann ich mich namentlich leider nicht mehr erinnern, da ich ja dreieinhalb Wochen komatös ausgeknockt war! Liebe Pfleger und Schwestern, da ich zuvor noch nie im Krankenhaus gewesen war (nur mal für zwei Stunden zur Geburt meines Sohnes Donald), hatte ich eingangs so meine im Buch geschilderten Probleme. Ich habe mich oft so geschämt, dass ich nichts selber machen konnte, deshalb möchte ich Ihnen allen an dieser Stelle ganz besonders für Ihre Geduld und Fürsorge und Liebe danken!

Ein besonderer Dank gilt auch meiner Freundin Uschi, die mich täglich auf der Intensivstation besucht hat, und ihrem Mann Rolf Späth und ihrer Tochter Joyce Hütten, die auf Uschi verzichteten und sie ziehen ließen, weil sie für Stunden an meinem Bett sitzen wollte!

Ich danke Herrn Professor Dr. Thomas Rommel für den Therapieplatz in seiner Rehabilitationklinik, seinen schwäbischen Humor und seinem Entertainmenttalent bei der morgendlichen Visite! Nicht zu vergessen seine besonders warmherzige und liebevolle Fürsorge in Bezug auf meine Angelegenheiten! Natürlich danke ich auch Herrn Professor Dr. Alexander Hartmann für jede Menge EEGs, inklusive gemeinsames »Purple Rain«-von-Prince-Hören … Sonntagmorgens zufällig auf MTV … in voller Lautstärke!

Dr. Romeo von Scharpen und Frau Dr. Hermanns für Verständnis, Behandlung und für mich da sein! Und auch hier danke ich natürlich allen Schwestern und Pflegern für ihre Liebe und Geduld mit mir bei etlichen Transfers vom Bett in den Rolli und umgekehrt … und unzähligen Toilettengängen! Mädels und Jungs, grundsätzlich gehe ich viel lieber alleine dorthin, aber es war mir ein besonderes Fest mit euch!

Mit Schwester Tanja von Station drei habe ich nach Wochen mein erstes Bonbon gelutscht, auch das war mir ein Fest! Danke, Tanja, auch später für das leckere Puddingteilchen! Was für ein toller Geschmack im Mund nach all der Zeit der Nasennahrung! Danke, liebe Schwester Maria, für das morgendliche Brötchenschmieren und Kaffeebringen!

So, liebe Therapeuten, jetzt seid ihr an der Reihe!

Ja, ich weiß, am Anfang war alles sehr schwer, weil ich unbeweglich war und alles schrecklich wehtat!

Liebe Heidi Lessig, wir beiden Weiber, was? Beide manchmal bockig, aber trotz hin und wieder Stufe neun erfolgreich – ich danke Ihnen ganz besonders, weil Sie den Ehrgeiz niemals aus den Augen gelassen haben und mich trotz Ihrer schweren Arbeit mitgetragen haben! Und zwar mit vollem Körpereinsatz! Ich bin sehr glücklich darüber, dass wir inzwischen so weit gekommen sind: Dass wir auf einer freundschaftlichen Ebene zusammenarbeiten, empfinde ich als großes Geschenk! Außerdem möchte ich noch Seraina Berg danken, dem blonden Engel der Station sechs. Seraina war sehr oft meine Retterin, denn am Anfang hatte ich natürlich furchtbare Schwierigkeiten mit meiner Situation und war oft verzweifelt und sehr traurig. Ich konnte mich nur schlecht mit dieser hilflosen Situation abfinden und motivieren, manchmal war alles so weit weg und aussichtslos. Seraina hat mich mit ihrer liebevollen und sanften Art oft über den Tag gerettet! Sie war sehr oft der blonde Engel, der mir Trost und Hoffnung gegeben hatte.

Steffi Katafias gilt natürlich auch mein ganz besonderer Dank! Wir beide arbeiten am häufigsten seit dem Klinikaufenthalt zusammen, mit Steffi habe ich außerdem im Bewegungsbad wieder schwimmen gelernt! Steffi hat auch viel Zeit und Mühe in mich investiert und mich immer wieder motiviert – und das in der Regel nach einem sehr langen Arbeitstag in der Klinik! Außerdem hat sie mir sehr oft mit ihren großen Fähigkeiten und Behandlungen Schmerzen nehmen können, die durch das ständige unfreiwillige Sitzen hervorgerufen wurden. Auch alleine laufen,

»ohne sich festhalten«, war unser Thema, denn wenn man es lange nicht macht, verlernt man es regelrecht und bekommt Angst zu stürzen. Steffi stand mir immer zur Seite, hat mich bestärkt und gesagt: »Das können Sie!« Mit ihr bin ich auch nach zwei Jahren das erste Mal wieder durch meinen Garten gelaufen, das war sensationell!

In der Klinik war ich unter anderem auch bei Frau Petra Classen, der Neuropsychologin in Behandlung und bin es auch jetzt noch. Als ich im Krankenhaus das erste Mal »Neuropsychologie« auf dem Therapieplan las, war ich etwas verängstigt. Ich dachte, was soll das jetzt hier? Gehen die hier davon aus, dass ich schwer einen an der Klatsche habe (Ich meine: Wer hat keinen an der Klatsche … außer mir! Haha!)? Und denken die, ich bin nicht ganz sauber in der Oberstube? Das machte mich doch sehr unsicher!

Dem war aber nicht so, es ging erst mal ums Training am Computer und die Verarbeitung der Situation an sich! Frau Classen hatte sehr viel Geduld mit einer Chaos-Tante wie mir! Danke, Beate Springer, für die Freitagstherapien, die sehr helfen, aber auch oft wehtun wegen der ollen verklebten Schultern!

Ein großes Danke an Peter Abels und Carina Kohrs für die Montagssessions und Glücksbringer aus- und anziehen! Danke!

Ein besonderes Dankeschön an das Team vom Friseur Crehaartiv – ihr lasst mich immer gut aussehen und habt den allerbesten Service!

Außerdem möchte ich auch besonders meinen Fans danken, die mir treu geblieben sind und so viele wunderbare Worte der Anteilnahme in mein Gästebuch oder in tollen Briefen an mich geschrieben haben! Ich danke euch, eurer Geduld, und dass ihr Verständnis für meine Pause habt! Ihr habt verstanden, dass ich in die Öffentlichkeit gehe, wenn ich kann und will und nicht, wenn die Presse es erpressen will! Danke für eure Treue, ich liebe euch!

Lieber Till Hoheneder, dir danke ich ganz besonders als Freund und Mitautor für deine unendliche Geduld und mühevolle Mitarbeit! Danke, dass du noch mein Freund bist und bitte vergiss nicht – das Angebot und die Bitte, dass wir mal zusammen ins Altenheim gehen, steht noch! Ich weiß, dass ich chaotisch bin und vorher auch schon war, aber wir haben das geschafft mit dem Buch! Danke, Till, du Schatz, auch für die Ordnung im Buch! Aufräumen kann ich eben bis heute nicht! Dafür kann und konnte ich andere Sachen mal, häkeln, stricken und Bass spielen. Ich hoffe sehr, dass ich es irgendwann wieder können werde, damit wir zusammen jammen können! Lieber Till, zum Schluss wie immer die liebsten Grüße und Küsse an die Königin von Saba und meine kleine Freundin und Fürsprecherin, Prinzessin Zita!

Vielen Dank auch dem Fischerverlag, mit mir Bekloppten ein Buch zu machen und ganz besonders unserer Lektorin Alexandra für gute Tipps und Ordnung im Buch – ich kann ja auch nicht alles!

Außerdem danke ich meinen Hunden Urlaub, Bitte, Tussi, Taxi und Toffefee! Lieber Taxi, dir danke ich ganz besonders für deine unglaubliche Treue, für dein nächtliches Wärmen und immer an meiner Seite sein. Sorry, dass ich dir des Nächtens schon so oft das Fell naßgeheult habe!

Ein besonderes Danke an meine rechte Hand fürs Schreiben! Leider musstest du alles alleine machen, die linke hat ja noch ein wenig Urlaub!

Außerdem danke ich Hurts für den Song »Wonderful Life«, der mich in traurigen Stunden oft wieder an die Oberfläche gebracht hat!

Danke an alle, die mich nicht aufgegeben haben und noch da sind!

An alle Betroffenen, es dauert leider alles irre lange mit so mancher Besserung, aber es geht weiter … auch wenn es manchmal klitzekleine Schritte sind, bleibt dran! In diesem Sinne Tschüss und einen dicken Kuss!

Eure Gaby

Till Hoheneder sagt Danke:

Gaby Köster – du bist einzigartig. Danke, dass ich in deine Seele gucken durfte. Verzeih' mir, falls es manchmal wehgetan hat. Du weißt, es ging nicht anders. Mahatma Gandhi hat mal gesagt: »Du und ich – wir sind eins! Ich kann dir nicht wehtun, ohne mich zu verletzen.« Wahre Worte. Ich wünsche uns inneren Frieden und unendlich viel Liebe.

Donald Köster, Ria Köster – Danke für eure tolle Hilfe! Ohne euch wäre dieses Buch nie so großartig geworden!

Jonas Wagner und Töne Stallmeyer – Gott weiß, wie sehr ich euch bewundere und liebe! Meine Felsen in der Brandung. Meine Brüder.

Hubi – Danke für die schönen Stunden mit dem Ewing und dein Lob – das mich in einer wichtigen Phase so motiviert und aufgebaut hat! Und Danke für deine Freundschaft.

Mike & Birgit – für den schönen Abend im Dorfkrug!

Krütze – für die Hilfe, als der Kopf nicht mehr wollte!

Barbara – für die Hilfe, als die Finger streikten!

Das MTS Büro – Katha, Gesa, Tobi, Ralf, Sabine, Christian, Viete, Susi, Maik, Jutta G. … das beste Büro der Welt.

Danke auch an meine phantastischen Jungs – die beste Rockband »aus der Welt«, »Die Altobellis«: Jürgen, Dirk und Thomas. Ihr habt mit mir durch alle Zeiten gerockt und wart immer für mich da! Werde nie Gabys Gesicht vergessen, als wir auf Claudias Geburtstag »Purple Rain« gespielt haben! Dienstag ohne euch ist irgendwie falsch!

Michael »Don Michele« Langer – seit 20 Jahren mein Consigliere und Freund!

Ein dickes Danke an die »Fischers«: Alexandra Kosian-Krishnabhakdi und Felix Rudloff.

Ich danke besonders meiner wunderbar hübschen und klugen Frau Claudia Ekwuazi – der Königin meines Herzens. Ich liebe dich so sehr.

Vielen Dank an meine Tochter Zita – für ihr tägliches Nachtgebet und so vieles mehr!

Jakob – wie schön, dass du geboren bist.

Ich danke natürlich auch allen, die ich hier nicht namentlich – aus welchen Gründen auch immer – erwähne, denen ich aber auch sehr zu danken habe, weil sie dazu beigetragen haben, dass ich dieses Buch mitschreiben konnte.

Hamm, im Winter 2010.